SIMON BOULERICE

M'AS-TU VU ?

1 · HORS-CHAMP

Québec

Crédit d'impôt livres — Gestion SODEC

Gouvernement du Québec – Programme de crédit d'impôt
pour l'édition de livres – Gestion Sodec

Nous reconnaissons l'aide financière du gouvernement du Canada par
l'entremise du Fonds du livre du Canada pour nos activités d'édition.

M'as-tu vu?, 1. Hors-champ
© Les éditions les Malins inc., Simon Boulerice
info@lesmalins.ca

Directrice littéraire : Katherine Mossalim
Éditeur : Marc-André Audet
Correctrices : Dörte Ufkes et Fleur Neesham
Illustration et conception de la couverture : Paule Trudel-Bellemare et
Shirley de Susini

Mise en page : Marjolaine Pageau

Dépôt légal – Bibliothèque et Archives nationales du Québec, 2013
Dépôt légal – Bibliothèque et Archives Canada, 2013

ISBN : 978-2-89657-208-3

Imprimé au Canada

Les éditions les Malins inc.
Montréal, Qc

SIMON BOULERICE

M'AS-TU VU ?

1 · HORS-CHAMP

Je n'ai pas de télévision. Je l'aime trop.
Julien Green, lors d'un entretien avec Bernard Pivot

MARIE – Quand on y pense, le plafond, c'est sûrement le dernier truc que voient plein de gens. Au moins 90 % des gens qui meurent, tu crois pas ? C'est sûr. En plus, quand tu meurs, la dernière chose que tu voies reste imprimée dans ton œil. Un peu comme une photo. T'imagines le nombre de personnes qui ont des plafonds dans les yeux ?

FLORIANE – Je ne regarderai plus jamais les plafonds comme avant.

Extrait du film *Naissance des pieuvres*
de Céline Sciamma

À ma cousine Shany Richard
dans la fleur de l'âge adolescent

En somme, si je suis reléguée au fond de la classe, c'est que je n'ai pas un physique avantageux. C'est le mot que la directrice, madame Provencher, a choisi. *Avantageux*. Elle m'a fait savoir qu'en me plaçant au fin fond de la classe, les lentilles des caméras risqueraient moins de capter au passage mon visage quelconque, plat, peu harmonieux, moche. Et que, par conséquent, on réduirait les chances de choquer les téléspectateurs.

OK, d'accord, elle n'a pas employé les adjectifs *quelconque*, *plat*, *peu harmonieux* ou *moche*. Non. Elle a choisi *avantageux*. Parmi toute la banque de mots cruels pour définir un physique ingrat, elle a pris le plus doux, le plus inoffensif. Mais l'effet est le même.

« Si je t'ai fait venir dans mon bureau, Cybèle, c'est pour blablablablabla… »

Oui, je sais : je m'appelle Cybèle et je ne suis pas si belle que ça. La preuve : la direction de mon école m'incite à fuir la caméra ! Je suis petite, rousse et généralement souriante (je souris moins quand on me dit que mon physique n'est pas avantageux, mettons !). Je ressemble à la rouquine dans *How I Met Your Mother*, mais en moins belle. Ce n'est pas de la fausse modestie ; c'est la triste réalité.

Je ne crois pas être un objet de fantasme, OK, mais est-ce une raison pour m'effacer dans le fin fond de la classe, derrière des collègues de classe plus plastiquement agréables à regarder que moi ? Je n'ai pas d'autre choix : je vais devoir me venger. Je ne peux pas laisser passer ça. Vous voulez me dissimuler derrière tout le monde sous prétexte que je n'ai pas la tête de l'emploi ? Parfait ! Vous ne voulez pas de moi ? Pas de problème ! Alors, c'est simple : dès la semaine prochaine, je ne participerai plus dans mes cours. Je vais me fermer comme une huître étanche, impossible à ouvrir. Ou comme une pistache avec la coquille tellement soudée qu'on sait d'avance que c'est peine perdue. Que tout ce qu'on réussira, c'est se casser les dents. Je ne lèverai plus la main avec frénésie pour répondre aux questions posées par mes profs. Je profiterai plutôt de ce temps pour écrire, à l'abri des regards. Écrire mon exclusion, ma frustration. Écrire la déception de mes 15 ans qui s'inaugurent tout croche.

Rebroussons chemin dans le temps. Revenons quelques semaines plus tôt, au début de mon 3e secondaire. C'est là que tout a commencé.

Remontons à la source de mon congédiement symbolique. Cette source porte un prénom maudit : Magali-pas-de-E.

*

En septembre dernier, suite à une pub télé, Magali-pas-de-E Loiselle-Bienvenue a postulé dans l'espoir que notre école soit retenue pour la prochaine téléréalité de *Cool comme tout!*. Pour ceux qui l'ignorent ou qui vivent sur une autre planète, *Cool comme tout!*, c'est la chaîne télé la plus regardée par les 10-17 ans, selon les derniers sondages parus dans le *TV Hebdo* et le magazine *Adorables*. La téléréalité s'intitule *M'as-tu vu?*. Personnellement, je trouve ça légèrement débile comme titre d'émission. Mais en même temps, ça dit ce que ça a à dire. Comme dirait mon père: «Ça a le mérite d'être honnête!»

J'ai le pressentiment que cette téléréalité sera infiniment boboche.

Le concept de *M'as-tu vu?* est simple (et cave!) comme tout. Pendant quatre semaines consécutives, cinq écoles secondaires s'affrontent. Avec une caméra, on suit cinq élèves de chaque école durant toute la journée scolaire (arrivée en bus jaune, les quatre cours au programme, le dîner à la cafétéria et même la récré du midi…). Un élève par niveau secondaire. Chaque semaine, les téléspectateurs sont invités à voter pour l'école la plus *cool*. On peut voter gratuitement par téléphone. Les votes sont gratuits. L'école ayant récolté le moins de votes est éliminée, jusqu'à ce qu'il n'y en ait plus qu'une seule, c'est-à-dire *la plus cool*. Qu'est-ce qu'une école *cool?* Eh bien, c'est une école avec du monde *cool* dedans! Des gens comme Magali Loiselle-Bienvenue, la fille qui a eu la brillante idée d'inscrire notre école dans la compétition. Magali-pas-de-E, parce qu'elle veut tellement être exceptionnelle !

Le prix à gagner : une immense bibliothèque garnie de nouveaux livres qui sentent le neuf. Le paradoxe est de taille : Magali-pas-de-E Loiselle-Bienvenue n'aime pas lire (en tout cas, si oui, elle cache drôlement bien son jeu !). Elle se fout très certainement autant de la qualité que de la quantité de livres sur les rayons de la bibli scolaire. Tout ce qui l'intéresse, c'est que, selon les règlements de la téléréalité, l'école gagnante s'engage à nommer sa future bibliothèque spacieuse du nom de l'élève qui l'a inscrite au concours. En l'occurrence, elle ! En résumé, si la polyvalente Pierre-Jean-Jacques (mon école) remporte le concours *M'as-tu vu ?* de l'école la plus *cool*, Magali se voit attribuer une bibliothèque à son nom. LA BIBLIOTHÈQUE MAGALI-PAS-DE-E LOISELLE-BIENVENUE. Heu ? Allô ? Bonjour l'absurdité ! À mes yeux, c'est aussi cohérent que de décerner un doctorat (honorifique ou non) à Céline Dion, qui n'a pas terminé ses études secondaires !

Pour être sélectionné, il fallait faire un clip promotionnel sur notre école secondaire. Genre : dire pourquoi notre polyvalente se démarque des autres, et blablabli et blablabla. Comme c'était son idée, il semblerait que Magali se soit chargée de tout. Elle aurait retenu les services de ses meilleures copines (dont ses inséparables groupies Shany et Fanny). Son père serait venu les filmer un soir, après l'école. Je ne sais pas ce qu'elles ont dit (ou montré) à la caméra pour séduire les juges, mais toujours est-il que par leur faute, l'école Pierre-Jean-Jacques a été retenue!

La rumeur dit que les filles auraient fait une chorégraphie devant les casiers. Un peu à la *Glee*, mais dans une version assurément plus *cheap*! Vous n'avez pas idée de ce que je donnerais pour mettre la main sur ce clip pour rire d'elles!

En tout cas, suite à cette nouvelle, la directrice (madame Provencher, une femme plus large que haute!) et Magali elle-même ont choisi un élève par niveau pour représenter l'école. En secondaire 1, le choix s'est arrêté sur Julien Claveau. En secondaire 2, sur Aïcha Quelque chose (personne ne connaît précisément son nom de famille). En secondaire 4, sur Steven Tremblay-Buisson. En secondaire 5, sur Héroïque Héloïse Nadeau. Et inutile de chercher midi à quatorze heures pour savoir qui a été sélectionné pour représenter les secondaires 3. C'est Magali-pas-de-E Loiselle-Bienvenue, naturellement. Je suis moi aussi en secondaire 3, comme notre soi-disant «leader». Mais ne pensez pas que je sois jalouse ou quoi que ce soit. Non. Je m'en fous comme de l'an 40. Oui oui. Comme de l'an 40. Et l'an 40 ne m'excite aucunement le poil des jambes (que je rase, soit dit en passant, pour ceux qui en douteraient…).

Avant de rentrer dans le vif du sujet de la téléréalité qui cause ma ruine (du moins celle de mon estime personnelle, mettons), je me dois de faire le portrait des heureux (ou malheureux, selon le point de vue) élus.

Ceux qui, pendant quatre semaines, si tout va comme prévu, deviendront de réelles petites vedettes de la chaîne *Cool comme tout!*.

C'est parti, mon kiki!

PORTRAIT DE JULIEN CLAVEAU (SECONDAIRE 1)

On parle ici d'un tout petit gars, haut comme trois pommes. Un enfant, presque. Non seulement sa croissance ne s'est pas enclenchée, mais il est clair que ce n'est pas demain la veille que ça arrivera. Grandir, ce n'est pas dans les projets de Julien Claveau! Toutes les filles le dépassent dangereusement. Ça le rend *cute* comme tout. Mais outre sa petitesse corporelle, Julien a peu de traits particuliers. Il n'est pas spécialement doué à l'école, ni dans les sports ou les arts. Il n'a pas de talent caché. Pas de talent connu, non plus. Il ne fait pas la *split*, pas plus qu'il n'est capable de toucher son nez avec sa langue (à noter que moi, je peux faire ces deux prouesses-là en claquant des doigts!).

Tout ce que Julien Claveau a de *cool*, hormis son nanisme, c'est deux mamans lesbiennes. Parce qu'en soi, Julien est plutôt un nain ordinaire. Il passerait inaperçu, n'eût été de l'homosexualité de ses mamans (mon père serait fier de mon accord du verbe « être » au plus-que-parfait du subjonctif du passé compliqué).

Selon moi, c'est un bon choix, Julien. Un choix malicieux de directrice et de *bitch* arriviste (Magali-pas-de-E). Ça montre l'ouverture de l'école Pierre-Jean-Jacques face aux minorités invisibles, incapables d'atteindre l'étagère la plus basse de leur casier.

PORTRAIT D'AÏCHA QUELQUE CHOSE (SECONDAIRE 2)

C'est embêtant, mais je ne connais pas encore le nom de famille d'Aïcha. À ma défense, elle vient tout juste (en septembre, à la rentrée) d'arriver à l'école Pierre-Jean-Jacques, et son nom est compliqué. C'est un nom arabe. Elle est née en Iran ou en Irak, je ne sais plus trop. J'imagine que les deux pays sont rapprochés géographiquement, comme ils le sont phonétiquement parlant.

Tout ce que je sais d'Aïcha, pour le moment, c'est qu'elle souffre de myopie. Et je suspecte ses parents d'être ou bien grippe-sous, ou bien pauvres. Car les lunettes d'Aïcha ne lui conviennent clairement plus. Elle est prise pour incliner la monture sur son nez pour accentuer la force de ses lentilles. Il paraît qu'elle ne voit bien que de cette façon. Elle fait penser à une grand-mère lisant un livre écrit petit, avec ses lunettes lui pendant au bout du nez. La première fois que je l'ai vue, je lui ai dit de faire attention, que ses lunettes étaient sur le point de tomber. Je disais ça pour être fine. Je ne me doutais pas une seconde que c'était la façon dont Aïcha porte ses lunettes.

Elle regarde donc la vie à travers sa vieille paire de lunettes qu'elle doit porter dans un angle ridicule (genre 45 degrés!) pour lire ce qui est véritablement écrit au tableau et voir les gens sans leur rentrer dedans. Pour ne pas que les lunettes tombent de son nez, elle en coince les branches quelque part dans sa chevelure, sous son hijab, bien au-dessus de ses oreilles. Elle est d'ailleurs la seule fille à porter le voile à l'école. Ça fait d'elle l'élève la plus exotique de la place. En Montérégie, il y en a peu, des hijabs. Moi, c'est même le premier que je vois ! En tout cas, l'angle de ses lunettes en chute libre sur son nez, ça a quelque chose d'un peu triste. Avec ça, on jouera sur la pitié des téléspectateurs.

C'est donc un autre bon choix, Aïcha Machin-Truc. Ça montre l'ouverture de l'école Pierre-Jean-Jacques face aux minorités visibles, capables de faire tout un cours d'éduc avec un drap sur la tête !

PORTRAIT DE
STEVEN TREMBLAY-BUISSON
(SECONDAIRE 4)

C'est bien connu : chaque polyvalente a son petit Monsieur Muscle. À l'école Pierre-Jean-Jacques, le Vin Diesel en puissance, c'est Steven Tremblay-Buisson.

Steven s'entraîne comme un forcené. Trois fois semaine, après l'école, il va au gym. Et sur l'heure du midi, il passe son temps à faire des *push-ups* dans l'allée des casiers. Son corps est de loin le plus imposant des élèves de l'école, et Magali, tout comme les autres filles d'ailleurs, faiblit quand elle le voit.

Mais ce n'est pas tout. Steven a plus que des gros bras : il a un père criminel complètement cinglé et une mère avec d'énormes seins. Son père (Mike) est en prison pour avoir tenté de tuer son ex-femme, soit la mère de Steven. Il n'aurait pas pris qu'Hélène (maman de Steven) ait décidé de refaire sa vie avec un homme plus jeune que lui. Lors d'une dispute, il se serait muni de son pistolet (de chasse ?) et lui aurait tiré une balle. Il paraît qu'il aurait visé Hélène alors qu'elle était de profil. Par conséquent, la balle de 9 mm aurait à peine effleuré son bras droit avant de pénétrer dans ses deux seins (augmentés d'implants mammaires !) et de sortir à travers son bras gauche. Le projectile aurait complètement détruit les implants, mais aurait totalement épargné Hélène. Ses implants mammaires (payés par

Mike, son ex-mari!) lui auraient, ni plus ni moins, sauvé la vie!

La mère de Steven aurait eu une petite chirurgie au bras, puis une seconde opération pour se faire poser de nouveaux implants mammaires. Des plus gros, pour la protéger encore plus. Hé hé hé.

Alors, récapitulons: Steven Tremblay-Buisson est bâti comme un pompier de calendrier (ce qu'il voudrait devenir, d'ailleurs), a un père criminel et une mère avec d'énormes faux seins. Qui plus est, il parle mou. Il n'articule jamais quand il parle. Il fait des sons, et ça excite les filles. Il n'y a pas à dire: c'est comme si Steven était né pour participer à *Occupation Double*. Je lui souhaite que ça existe encore quand il aura l'âge de s'y inscrire. Pour le moment, il est le candidat parfait pour *M'as-tu vu?*. Avec lui dans la télé, il y a fort à parier que toutes les adolescentes du Québec seront rivées à leur écran, au canal *Cool comme tout!*, tous les soirs de la semaine à 19 heures tapantes. Un autre bon coup signé par le tandem madame Provencher/Magali-pas-de-E.

PORTRAIT D'HÉROÏQUE
HÉLOÏSE NADEAU
(SECONDAIRE 5)

Héroïque Héloïse Nadeau est un excellent choix, elle aussi. Les héroïnes sont plus rares que les héros. Dès qu'on en a une, on se l'arrache. Et Héloïse est une héroïne, même si c'est *contre son gré*. Même si c'est *à son corps défendant*. Je m'explique.

Cet été, sans le vouloir véritablement, elle a sauvé la vie d'une étrangère qui avait sonné chez elle, en pleine nuit. La dame avait une pastille coincée au travers de la gorge et elle était incapable de la cracher ou de l'avaler. Elle ne parvenait pas non plus à signaler le 911 sur son cellulaire. Dans son désarroi, elle s'était résolue à sonner chez des étrangers, même s'il était près de minuit, dans l'espoir de survivre un peu plus longtemps. Elle est tombée sur la porte des Nadeau. Héloïse et sa mère dormaient à l'étage. Le père d'Héloïse, lui, était debout, mais ignorait quoi faire avec cette femme mourante sur son perron. Tout ce qu'il savait, c'est qu'une mauvaise manœuvre de réanimation pourrait permettre à la femme de l'actionner. C'est vrai : il paraît que si on vient en aide à quelqu'un et qu'on s'y prend mal, si la personne survit et qu'elle conserve des séquelles par notre faute, elle peut nous poursuivre en justice. C'est fou, ça ! En tout cas, revenons au pauvre papa d'Héloïse. Pris de panique, il aurait réveillé sa fille unique, se rappelant qu'il lui avait payé des cours de gardienne avertie. Peut-être saurait-elle déloger la fâcheuse pastille de la gorge étroite de cette visiteuse désespérée? Il devait bien se dire quelque chose du genre… Il aurait donc tiré sa fille jusqu'au rez-de-chaussée par la manche de sa jaquette. Héloïse aurait dévalé les marches, encore tout ensommeillée, et n'aurait pas su quoi faire pour venir en aide à la femme. Pas tout à fait, à vrai dire. Elle ne se serait rappelée que très vaguement la procédure pour expulser un objet obstruant la trachée. Combien de vertèbres fallait-il compter avant d'agir, de pousser? Devant la demande éplorée de son paternel, il aurait été malvenu de ne rien faire. Elle ne pouvait quand même pas dire à son père qu'il lui avait payé les cours inutilement? Que son certificat de premiers soins était symboliquement échu? Ça ne se dit pas: «J'ai oublié, je ne sais pas quoi faire, papa. Je vais retourner dormir pendant que tu vas regarder cette femme mourir dans notre entrée…» Elle aurait donc agi dans un état de totale urgence. Elle se serait botté le cul et mise dans la tête qu'elle allait sauver l'inconnue. Avec l'énergie du désespoir, elle aurait fait mine d'être calme (c'est ce qu'elle se rappelait des cours), aurait demandé le nom de la femme (et obtenu aucune réponse, bien évidemment!) et se serait exercée à appliquer un semblant de méthode. Ça aurait étonnamment porté ses fruits! Après quelques tapes dans le dos (à proscrire, pourtant, selon les cours que j'ai suivis cet été), la femme aurait recraché la pastille directement dans le porte-parapluie de l'entrée.

Si je sais tout ça, c'est qu'Héroïque Héloïse Nadeau est une «amie». Une amie éloignée de secondaire 5, mais une amie quand même. Elle s'est ouverte à moi. Elle m'a parlé de la honte qu'elle éprouve face à sa piètre réanimation. Et surtout de la honte d'être célébrée depuis pour quelque chose d'aussi approximatif et malhabile.

Depuis ce jour, Héloïse est passée dans *Le Reflet*, le journal local de notre ville. Elle a eu une grosse page pleine. C'était titré : *Héroïque Héloïse*. Elle a même eu un entrefilet dans le *Journal de Montréal*, dans la chronique Insolite. Beaucoup de bruit pour pas grand-chose, si vous voulez mon avis.

Héloïse vit à deux maisons de chez moi. La dame avec une pastille d'enfoncée dans la gorge aurait pu tomber sur mon perron et sonner à ma porte. Ça aurait pu être moi qui lui aurais sauvé la vie. Avec plus de méthode, qui plus est. Car moi aussi, j'ai suivi les cours de gardienne avertie. Et je m'en rappelle, moi ! Mais non, le hasard en a voulu autrement. Je ne suis pas Héroïque Cybèle. Je suis Cybèle pas si belle que ça. Et je ne suis jamais passée dans le journal de ma vie. Même pas le journal local. Meilleure chance la prochaine fois, Cybèle Campeau-Grégoire !

PORTRAIT DE
MAGALI-PAS-DE-E LOISELLE-BIENVENUE
(SECONDAIRE 3)

Puisque c'est elle-même qui a inscrit notre polyvalente, il va de soi que Magali soit parmi les cinq élus. C'est dans les règlements de la téléréalité. Tant pis pour moi, qui suis une collègue de 3e secondaire!

Avec sa chevelure noire de jais, elle a des petits airs de Selena Gomez, en plus bête et encore plus basanée. Et pourtant, son teint foncé, elle ne le doit pas à des origines mexicaines comme Gomez. Non : Magali a simplement la peau brûlée par une surexposition aux rayons des cabines de bronzage. Elle ne semble pas encore saisir qu'elle risque dangereusement de contracter un cancer de la peau. Elle ne semble surtout pas réaliser combien elle perd en beauté, la peau calcinée de la sorte… Personnellement, je conçois mal comment on peut se glisser dans une cabine de bronzage. Ça ressemble plus à un cercueil qu'à autre chose, selon moi. Il ne faut pas m'en vouloir ; je suis rousse. Les rousses fuient le soleil et les salons de bronzage comme la peste.

N'empêche, pour être tout à fait honnête, je dois avouer que Magali est une belle fille. Et en plus, elle a beaucoup d'amis. Elle sait bien s'entourer. Elle est d'ailleurs la chef d'un trio inséparable qu'elle forme avec Shany et Fanny, les deux « NY » folles de Magali. Ses amies-*fans*. Des filles léchant son ombre. On peut donc la qualifier de « leader », ce qui est sans doute un atout pour

M'as-tu vu ?. Elle n'est pas spécialement méchante, mais elle n'est pas spécialement gentille non plus. Elle est correcte. Pas très bonne à l'école, pas très futée, mais pas un désastre non plus. Une fille correcte.

Mais – et c'est là que ça fait mal – je crois qu'elle est carriériste (ça, c'est un mot que mon instruit de père utilise souvent). C'est-à-dire qu'elle est ambitieuse. Mais pas une ambition noble. Une ambition exagérée. Du genre : prête à tout pour parvenir à ses fins. Pour se rendre là où elle le veut. Du genre à écarter les autres s'ils sont sur sa route, à les écraser s'ils l'empêchent de continuer. Moi, je n'aime pas la chicane. Je préfère donc me tasser quand je la vois devant moi. Au cas où.

En somme, malgré sa beauté et son *leadership*, je doute que Magali-pas-de-E Loiselle-Bienvenue soit un bon choix. Les Québécois aiment les gens simples, avec des valeurs saines. L'arrogance ne les séduit pas (c'est aussi mon père qui affirme ça…). Par conséquent, ça me surprendrait que les téléspectateurs s'entichent de cette fille. Désolée.

Si tout va bien, donc, Pierre-Jean-Jacques sera éliminée rapidement, et cette mascarade de téléréalité cessera. Et je pourrai reprendre mon pupitre à l'avant.

Alléluia.

SEMAINE 1
JOUR 1

Un lundi matin encore lumineux de fin de mois d'octobre. C'est aujourd'hui que débarque l'équipe de tournage de la téléréalité. C'est pour ça qu'il y a tant d'électricité dans l'air de l'autobus scolaire.

Dès que notre bus s'engage dans la cour de l'école, tout le monde se met à hurler d'excitation, en voyant le gros camion *Cool comme tout!* stationné près de l'entrée. Ça devient réel.

Une caméra attend deux élèves parmi les passagers du bus : Julien, le fils des mamans lesbiennes, et Héroïque Héloïse, ma presque voisine qui n'est pas héroïque pour les bonnes raisons. Il y a neuf bus qui desservent la totalité de la population étudiante de Pierre-Jean-Jacques, et il fallait que je tombe sur celui contenant deux des cinq futures vedettes de l'école! Eh, *boy*!

Sitôt que la porte du bus s'ouvre, un caméraman typiquement *cool* (genre : avec tout un assortiment de piercings au visage, une mèche de cheveux verte, des vêtements savamment déchirés et une ceinture garnie de quincaillerie et de fils électriques) vient braquer son engin sur tous les élèves qui en descendent, en s'attardant évidemment aux deux élus.

Aux dernières nouvelles, les deux caméramans attitrés à notre école ont l'autorisation de filmer tous les jeunes qu'ils veulent. Afin de leur simplifier la vie, tous les parents ont dû signer pour autoriser *Cool comme tout!* à utiliser l'image de leurs enfants pour leur téléréalité. Presque tous les parents ont signé. Même les miens l'ont fait. Ma mère, en fait. Mon père est contre ça, mais puisque je vis surtout chez ma mère (je suis chez elle la semaine et chez mon père les week-ends) et qu'elle voue un culte à la télé, elle a donné son autorisation sans mon consentement, ni celui de mon père. Mais il a fini par l'apprendre. Ça l'a beaucoup fâché, que ma mère consente à ce que sa fille unique se retrouve dans un tel zoo cruel et laid de téléréalité, alors que je suis mineure. Il a dit que ça allait souiller mon innocence, ou une affaire comme ça. Il a dit que c'était inhumain de plonger des ados vulnérables dans un tel cirque. Il m'a proposé de me changer d'école. Une école privée tout près de chez lui. Comme je suis un peu plus près de mon père que de ma mère, quand il a lancé l'idée, j'ai été embêtée. Changer d'école? Ce n'est peut-être pas une si mauvaise idée. J'entame une troisième année à Pierre-Jean-Jacques, et je ne suis toujours pas parvenue à me faire de véritables amis. Mais à qui la faute? Mon école? J'en doute. Non, je crois que je ne suis tout simplement pas douée pour l'amitié. Le collège privé ne parviendrait sans doute pas à me rendre hyper sociable et populaire. En plus, changer d'école impliquerait sûrement de passer plus de temps chez mon père, puisque le collège est à deux pâtés de maisons de chez lui. J'aimerais ça, oui, mais je ne pourrais pas faire ça à ma mère. Elle se sentirait trahie et délaissée. Non : je suis vouée à vivre un enfer mineur dans ma polyvalente racoleuse et bas de gamme !

De toute l'école Pierre-Jean-Jacques, il n'y a que les parents d'un seul élève qui ont refusé. Ceux de Maxime Daneau, un gars dans mon année, qui est dans la plupart de mes cours. Il paraît que c'est contre les principes de son père, les téléréalités. Tiens, tiens. Voilà qui est près du discours de mon propre père. Et du mien aussi.

Vendredi passé, après les classes, intriguée par la rumeur qui circulait à son endroit, je me suis botté le cul et j'ai demandé à Maxime ce que *M'as-tu vu ?* allait faire avec lui, après lui avoir signalé (en mentant un peu, j'en conviens) que j'étais dans la même situation que lui. Il semblerait que les caméramans vont simplement éviter de le filmer. Ils auraient tous deux une photo de lui, comme un genre d'avis de recherche. Et si jamais il advenait que son image était capturée, de loin comme de proche, elle serait brouillée lors d'une éventuelle diffusion, de telle sorte qu'il serait impossible de le reconnaître. Le père de Maxime est soulagé. Maxime l'est aussi. Il m'a dit qu'il trouvait ça ridicule, tout ce phénomène. Ça nous fait un point en commun.

Alors, voilà. J'en étais aux bus dans la cour de l'école. Le caméraman *punk-cool* est en train de filmer (de manière *funky*, à la Musique Plus) l'arrivée de nos deux futures vedettes. Quand je sors du bus, il n'est plus là. Il suit Héloïse, absolument rouge tomate, qui marche de manière non naturelle vers l'école. Moi, je n'ai pas à surveiller ma démarche ou à rougir de quoi que ce soit. Je suis débarquée de l'autobus dans l'indifférence la plus totale. Je peux bien m'enfarger dans mes pieds à ma guise.

Premier cours de la journée #1 : français. Je rentre dignement dans la classe (qui est presque vide pour le moment) et vais m'asseoir directement à mon nouveau pupitre, tout au fond. Je ne suis pas la seule à avoir été rétrogradée ainsi. Toute la classe a subi une *réorganisation esthétique*. Dans son bureau, la semaine dernière, madame Provencher m'a bien fait savoir qu'elle agissait ainsi pour créer un genre d'« équilibre de plateau ». Ce sont les stupides mots qu'elle a utilisés. Elle cherche à remanier la configuration de la classe pour amadouer et séduire les téléspectateurs, afin qu'ils votent pour notre école. Elle a beau dire ce qu'elle veut, répéter malhabilement et *ad nauseam* que c'est une question d'*équilibre*, on comprend le message. La vérité toute nue, c'est qu'elle met les plus beaux à l'avant, et les plus laids au fond. Elle fait exactement comme on faisait avec les figurants au jeu télévisé *La Fureur*, à Radio-Canada, quand j'étais petite. On invitait deux équipes de vedettes pour s'affronter. Quatre gars d'un côté, quatre filles de l'autre. Et derrière les personnalités québécoises à la renommée relative, que de belles personnes ! Des gars et des filles « télégéniques ». C'est ça que disait mon père, en furie. En *furie* contre *La Fureur*, de sélectionner les figurants au physique avantageux pour être dans le champ de la caméra. Et de confiner les autres au fin fond du studio, au bout de l'estrade, hors de la portée des lentilles. Il avait même écrit une lettre ouverte dans un journal populaire pour dénoncer ça. Plein de lecteurs lui avaient donné raison. Il m'avait lu la lettre, et je le trouvais brillant. J'avais été très fière de lui ! Je le suis toujours, d'ailleurs. Il a toute une colonne vertébrale, mon père. Et il n'a pas la langue dans sa poche. Ça mérite tout mon respect.

Eh bien, pour en revenir à *La Fureur*, actuellement, j'ai comme un peu l'impression de subir un sort similaire. Je ne suis ni plus ni moins qu'une figurante au physique trop banal pour être aux premières loges. Il ne faudrait pas que mon père apprenne ça ! Eh, *boy*. Il serait prêt à faire un scandale pour que je réintègre mon pupitre de première de classe ! Ou mieux : il me changerait d'école sur le champ !

Au moins, je me console en me disant que ce n'est pas comme si j'étais la seule dans cette situation. Alors que la classe se remplit peu à peu, dans une énergie de boisson gazeuse longuement brassée avant l'ouverture, je constate que je suis justement entourée de Maxime Daneau, le gars qui n'a pas donné son accord pour paraître dans la téléréalité, et Marie-Jeanne Grosjean, qui, elle, aurait certainement adoré y figurer, contrairement à nous. Mais même recluse derrière, elle a des chances que la caméra capte son image : pour une fille de 3e secondaire, elle est incroyablement grande et encore plus incroyablement costaude. D'ailleurs, à l'école, on la surnomme Marie-Jeanne-Grosse-Jeanne. Mais attention, quand je dis «on», je m'exclus totalement. Jamais je n'oserais l'appeler ainsi. Après tout, Marie-Jeanne est une des miennes : elle a été elle aussi rétrogradée au fond de la classe. Son surplus de poids doit être mal vu par madame Jugement Provencher.

Je l'aime bien, moi, la solide Marie-Jeanne. Bon, OK, l'écouter peut parfois être épuisant. Elle passe son temps à se vanter qu'enfant, elle était tellement maigre que les médecins obligeaient sa mère à ne lui donner que du lait engraissant. Genre du 5 %. C'est un chiffre que je lance un peu comme ça dans les airs, mais c'était plus que le lait qu'on retrouve en épicerie. J'ai comme l'impression que les docteurs et madame Grosjean ont poussé un peu trop sur le lait ultra-gras. Mais outre cette rengaine qu'elle sert à tout le monde, comme si cette anecdote l'amincissait, elle est plutôt *cool*, cette fille-là. Elle a toujours eu de l'humour à revendre. Tant mieux. Tant qu'à être mise en quarantaine, vaut mieux l'être avec du monde divertissant.

— Il fait beau, aujourd'hui, hein ? !
— Oui, pas pire beau, que je lui dis, totalement indifférente à la météo.
— Y annonçait de la pluie, pourtant. J'ai amené mon parapluie pour rien. C'est poche, je me connais, je vais l'oublier dans mon casier, pis demain, quand il va

pleuvoir pour de vrai, je vais arriver à l'école trempe à lavette.

— Je peux peut-être essayer de te rappeler de ramener ton parapluie après l'école ?

— Tu ferais ça ? T'es ben fine !

— Si j'y pense…

— Quand il pleut pis que le vent pogne dans mon parapluie, je m'imagine que je deviens Mary Poppins. La force du vent me soulève. Je touche plus à terre. Non, je lévite. Comme si j'étais sur la lune, genre. Parce que je suis toute petite. C'est de même. Je m'imagine faire moins de 200 livres.

Eh, *boboy*. Pauvre Marie-Jeanne.

— Tu fais 200 livres ? que je demande, réellement intriguée par ce nombre que je croyais inatteignable.

— 202 livres, précise ma voisine.

— Oh.

— C'est parce que je suis grande.

— Oui, c'est sans doute pour ça.

— C'est sûr que c'est pour ça.

On entend un léger brouhaha dans le corridor, puis le silence se fait d'un coup sec, comme si on avait affaire à quelque chose de religieux (genre une prière, un recueillement…). Un caméraman entre à reculons dans la classe, en glissant ses Nike sur le linoléum. Ce n'est pas le punk, c'est l'autre. Un plus discret. Il continue à reculer jusqu'à ce que la *superbe* Magali-pas-de-E puisse faire son entrée fracassante dans le cours. Il la suit avec la lentille jusqu'à ce qu'elle pose ses petites fesses sur sa chaise, à l'avant (elle est plus qu'une figurante choyée, elle, elle est carrément déjà une personnalité québécoise à la renommée relative).

Monsieur Robillard, le professeur de français, semble très excité de tout ça. Il a fait un effort, c'est évident. D'abord, il a revêtu sa plus belle chemise, porte un nœud papillon, et s'est coiffé en appliquant un peu trop de gel. Avec la lumière filtrée par les fenêtres plombant sur son bureau, il reluit comme un trophée. C'est un peu gênant tant il en a trop fait. Surtout, il sourit sottement, comme tous les élèves de la classe d'ailleurs, en nous rappelant le pourquoi de la présence de la caméra.

« Comme… comme vous le savez, un des deux caméra-mans de *Cool comme tout!* filmera des parties du cours… l'idée c'est… ben, c'est d'être comme d'habitude… de se concentrer sur le cours… de faire… dans le fond… de faire comme si la caméra n'était pas là… hein?… N'est-ce pas? On va revoir… le… le… ben, le schéma narratif de la semaine passée, là… »

Le bouton *Record* est pressé. La petite lumière rouge allumée nous confirme que *M'as-tu vu?* est bel et bien commencé. Tout le monde sourit gratuitement, pour faire le beau ou la belle. Marie-Jeanne n'y échappe pas et exagère elle aussi son sourire. On jurerait qu'elle va exploser de bonheur. L'idée que la caméra puisse capter un bout de sa personne l'euphorise. C'est un peu pathétique, son affaire. Seul Maxime ne se transforme pas, ne s'abaisse pas à donner la patte. Il ne fait que lâcher des petits soupirs d'exaspération. On échange un regard complice. Un regard qui dit : « *My god* qu'on n'est pas comme ça, nous. On ne s'extasie pas pour rien, non… »

— C'est vrai : toi aussi, t'as refusé que tes parents signent le papier de *Cool comme tout !*. Je pensais presque que j'étais le seul de l'école ! me chuchote mon voisin de droite, pendant que monsieur Robillard nous invite à ouvrir *Forum*, notre manuel.
— Exact. J'avais pas envie de me mêler à ça…
— Eh que je te comprends !

Eh, *boboy*. Pourquoi ai-je dit ça ? Qu'est-ce qui m'a pris de faire perdurer le mensonge ? Sans doute que la vérité ne m'avantage pas. Dire « Non, si je suis au fond de la classe, c'est parce que je suis pas assez belle pour conserver ma place en avant. Et si je souris pas, c'est juste parce que je suis méga fâchée de pas être dans la gang », ça ne fait pas bon genre. Mieux vaut faire comme si j'étais comme lui. C'est plus digne.

Monsieur Robillard prend sa plus belle voix. C'est comme s'il tentait de charmer tout le monde, le caméraman y compris : « Alors… euh… Bien, comme vous le savez, hein, une histoire se bâtit en cinq étapes. Première étape : la situation initiale (qui ? où ? quand ? quoi ?). Ensuite, l'élément déclencheur : un événement ou un personnage qui vient perturber le héros ou l'héroïne. Ça engendre la mission, ou mieux la quête, hein, du personnage principal. Puis vient le déroulement (ou le nœud), c'est-à-dire les péripéties. Avant-dernière étape : le dénouement (le héros réussit ou non sa mission). Puis on termine avec la situation finale, le moment où l'équilibre est rétabli. C'est avec ces cinq étapes-là qu'on peut décortiquer un récit… Vous vous en souvenez ? Hein ? »

Personne ne semble s'en souvenir, mais tout le monde sourit quand même. Moi, par contre, je m'en souviens. Mais là où je suis, à des kilomètres « du savoir », je ne vais pas me manifester. Je ne vais pas sourire non plus.

Si j'avais à écrire ma vie, je commencerais comme ça : directement avec un élément déclencheur. Quelque chose de violent et perturbant. Comme se faire dire qu'on n'est pas suffisamment jolie pour la caméra. Que notre place est hors champ.

Ouin. Ça serait ma première étape à moi. C'est comme ça que je commencerais mon histoire.

JOUR 2

C'est ce soir (mardi) à 19 heures que sera diffusé le premier épisode de *M'as-tu vu?*. Ça marche comme ça : ils filment le premier jour (mettons, lundi), ils font le montage durant la soirée ou le lendemain dans la journée (je ne suis quand même pas au courant de tout...), et ils le diffusent le soir qui suit la captation vidéo. Donc, pour faire simple : la journée du lundi est diffusée le mardi, celle du mardi le mercredi, celle du mercredi le jeudi, et ainsi de suite. La journée du vendredi est diffusée le lundi soir qui suit, mais c'est une émission plus étoffée. Elle dure une heure trente, plutôt que seulement une heure. Elle regroupe les moments forts et inédits de la semaine, mais surtout, elle se conclut sur l'école éliminée de la compétition. Celle qui n'aura pas su soulever les passions. Celle qui n'aura pas reçu suffisamment de votes des téléspectateurs. Cette portion (l'école coupée du concours) est filmée le lundi matin, et elle est greffée à ce qui a été filmé le vendredi. Car naturellement, les caméramans reviennent filmer les réactions de l'école éliminée, mais aussi de celles encore dans la course. Donc, j'imagine que c'est rock'n'roll dans les bureaux de montage de *Cool comme tout!*, les lundis après-midi !

M'as-tu vu? n'a donc pas les moyens de créer un gros gala du dimanche, en direct, comme *Star Académie* ou *La Voix* à TVA. Hon. Comme c'est triste.

Je m'attends à ce que ce soit un fiasco. *Cool comme tout!*, selon moi, a trop d'ambition. C'est une chaîne télé qui pète plus haut que le trou. Ça sent le *flop* à plein nez. Qui regarderait des jeunes qui n'ont rien à dire à la télé? Pas moi, en tout cas.

Pour le moment, je poursuis ma réclusion à l'école, avec Maxime, Marie-Jeanne et quelques autres. Je passe les cours à écrire ce que je vis, ce que je sens, et j'écoute de moins en moins ce que nous disent les professeurs. C'est drôle: j'ai toujours été une élève studieuse, attentive aux moindres mots de mes enseignants. J'étais du genre à boire leurs paroles, comme si c'était de la limonade fraîche en période de sécheresse estivale. Grâce à ma directrice, j'apprends peu à peu à me couper d'eux et à en faire à ma tête au fond de la classe. Je peux noter ce que je veux à ma guise, échanger des lettres avec mes voisins, ou même leur chuchoter des commentaires. Les profs ne voient rien. Ou s'ils voient, ils se taisent, embarrassés de prendre la parole devant la caméra, ce qui risquerait de ternir le vernis *cool* de l'école.

On dirait que la distance crée une barrière. Nous sommes à l'extérieur de leur monde. Je comprends un peu mieux pourquoi ceux qui se mettent à l'arrière de la classe échouent plus souvent que les autres. Il y a là une liberté que je ne connaissais pas. Et ça risque de devenir rapidement grisant pour moi.

Oups.

*

Il y a peu à dire sur la deuxième journée de téléréalité, sinon que mon prof d'art dramatique, Charles, est plus *show-off* et extravaguant que jamais. Précisons ici que Charles est un comédien qui n'a pas réussi à percer. Il n'a obtenu que quelques rôles mineurs dans des téléromans mineurs que même ma mère n'écoute pas. L'enseignement est un « en attendant » qui dure depuis près d'une dizaine d'années. Cet après-midi, dans son cours d'art dram, c'est comme s'il avait senti que la télé lui offrait une seconde chance. Alors il a *pris le plancher*. Il a décidé de participer à nos impros-claques. Ce qu'il ne fait jamais, je précise ici. Il intervenait systématiquement dans une impro sur deux ! Mais ce n'est pas tout : il a même utilisé la présence de l'équipe de tournage pour nous parler de jeu devant la caméra. Il précisait comment il faut jouer « petit », en cinéma. Jouer « petit », selon Charles, ça veut dire ne pas en faire trop, car la caméra lit tout en nous. Elle peut capter même une toute petite émotion dans l'œil. Notre prof nous a fait une distinction importante : « Si au théâtre, il faut grossir nos émotions pour qu'elles se rendent jusqu'au fond de la salle, au cinéma et à la télé, il faut en faire le moins possible. Il faut même retenir ses émotions. » Pour illustrer ses dires, il a joué une tirade devant un caméraman hébété. Un monologue de Racine, qu'il avait joué il y a très longtemps, à l'école de théâtre, mais dont il n'avait soi-disant rien oublié. Son jeu n'avait pourtant rien de petit. C'était gros comme son ambition de devenir un comédien vedette. Il a même versé des larmes en expliquant à la lentille (comme si elle était sa confidente) qu'il était amoureux de Bérénice (un personnage), qui, elle, en aimait un autre. Il pleurnichait avec beaucoup d'intensité, comme s'il avait oublié de «retenir ses émotions». Tous les élèves étaient très impressionnés par la quantité de larmes qui ruisselaient sur ses joues. Malheureusement, ça a fini un peu tout croche, son affaire. Il a eu un blanc en plein milieu d'un vers. Toute sa tirade est restée un moment dans les airs, en apnée. Il a cherché le mot qu'il lui manquait. Ses yeux ont paniqué un moment, en gros plan. Puis, il a décidé de lâcher un petit rire et de clore avant la fin en disant : «Voici, voilà». Je crois qu'on l'a tous plus applaudi par pitié que par admiration.

«Voici, voilà».

Je ne suis pas experte, mais je suis sûre que Racine n'aurait jamais terminé un alexandrin par «Voici, voilà».

*

Il est 19 heures. L'émission commence. Je suis bien calée dans le divan. Ma mère, elle, s'est approchée beaucoup trop près de la télé. Elle ne veut rien manquer de l'émission. Elle espère me voir à l'écran. Pauvre elle. Je dois préciser ici que je n'ai pas osé lui dire qu'on me maintenait à l'écart de l'action. Question de préserver un restant de dignité.

Comme premier épisode, on met le paquet : animateur humoriste jeune et *sexy*, musique originale endiablée, montage effréné, syncopé et très racoleur… On y fait un survol des cinq polyvalentes, mais surtout, on dresse le portrait des cinq élèves ayant inscrit leur école au concours, comme c'est le cas de Magali-pas-de-E. On voit aussi les quatre autres élèves qu'on va suivre dans chacune des écoles. Donc, cinq élèves dans cinq écoles, disséminées aux quatre coins du Québec! Vingt-cinq élèves à suivre pendant une heure! Disons qu'avec un tel programme au menu, ce n'est pas surprenant si on ne voit même pas l'ombre d'un de mes cheveux!

Voilà le résumé que je ferais des cinq portraits des écoles, tels que vus à la télé.

ÉCOLE POLYVALENTE MONDOUX-JÉSUS-MARIE DE LA SAINTE-TRINITÉ
À Montréal.
École fondée en 1961 par le frère Olivier et deux médecins pas spécialement connus (ils ont pas été nommés, en tout cas).
Inscrite par Natalia Surowaniec.

Natalia est une élève de secondaire 5 ayant passé tout son primaire en Pologne. Elle parle quatre langues (quand même!) et désire devenir astronaute. Pour y arriver, elle prévoit s'inscrire en sciences pures dans un cégep réputé. Son choix ne s'est pas encore arrêté sur une institution précise. Elle a nommé des cégeps que je ne connais ni d'Ève ni d'Adam. Elle semble sérieuse, mais peut-être un peu ennuyante. Trop rigoureuse dans ses études, un peu comme moi, d'ailleurs. J'espère ardemment que je n'ai pas l'air aussi ennuyante que cette fille!

SÉMINAIRE DES PÈRES LACHAISE ET LAPORTE
En Mauricie.
Séminaire fondé en 1893 par les pères Lachaise et Laporte (quel duo, quand même!).
Inscrit par Mathieu Sauvignac.

Mathieu est un élève de secondaire 4 originaire d'Haïti (mais il a grandi ici, lui) et qui chante du hip-hop. Il croit que *M'as-tu vu?* va le mettre «sur la *mappe*» (je reprends ses mots). Hé hé. Sur la *mappe*. Pauvre lui. Ils ont montré un extrait où il rappait, et je doute fort que cette téléréalité le propulse ailleurs que dans le monde de la gêne! Ses rimes étaient pauvres, faciles, et son rythme peu entraînant. J'espère pour lui qu'il a d'autres talents.

ACADÉMIE DE LA SAINTE-CONNAISSANCE
Dans les Laurentides.
Académie fondée en 1982 par Jacques Vallier.
Inscrite par Julie-Anne Guillemet-André.

Julie-Anne est une élève de secondaire 5. Elle est blonde et belle. Elle fait de grands yeux pour avoir l'air d'une poupée à la télé. C'est comme si elle savait l'effet qu'elle produit quand elle fait ça. Comme si elle avait de l'expérience. D'ailleurs, elle en a un peu: «J'ai déjà joué dans une pub. C'était pour le Ketchup Heinz. Je ne disais rien, mais j'étais bonne quand même, qu'on me disait. J'avais 6 ans! Le pire, c'est que je mange jamais de ketchup! C'est trop sucré, et trop gras. Il faut que je surveille ma ligne pour le métier que je veux faire plus tard. » Eh, *boy*.

Elle me fait un peu penser à Mathieu, l'Haïtien qui fait du rap. Mais elle, plutôt que de chanter, elle veut devenir comédienne, bien évidemment. Par chance, elle ne pousse pas l'audace jusqu'à nous jouer une scène ou à pleurer à l'écran, comme un certain prof d'art dram malheureux de son sort! On s'en sauve. Alléluia.

Plutôt que de jouer une tirade de Racine avec une diction fragile, elle cite ses deux grandes inspirations: Karine Vanasse et Mariloup Wolfe. Elle trouve que Mariloup, particulièrement, est versatile. C'est le mot qu'elle utilise: *versatile*. «Elle peut autant jouer une ado dans *Ramdam*, une jeune femme émancipée d'une autre époque dans *Musée Éden* ou une gardienne de prison glaciale dans *Unité 9*! Elle est très polyvalente. Je dirais même qu'elle est versatile, oui! J'aimerais être comme elle!» Elle est dans la copie, il n'y a pas à dire! Eh, *boboy*. Elle n'aura pas mon vote, elle.

COLLÈGE DES CARMÉLITES-AU-CUL-BÉNI
En Estrie.
Collège fondé en 1879 par on ne sait qui. Quelqu'un de très pieux, j'imagine.
Inscrit par Mathys Grégoire.

Mathys est un élève de secondaire 2. Il est tout jeune et tout petit (un peu comme notre Julien, le fils des lesbiennes), mais il a des projets plein la tête. Il fait partie de plusieurs comités. En fait, il est dans tout : il travaille à la bibliothèque de son collège, il est le président du conseil d'administration de la Caisse populaire Desjardins de son école (hein ? Allô l'intensité !), il est membre de l'équipe de Génies en herbe et il participe à la fois à la pièce de théâtre et au spectacle de danse de son école. Tout l'intéresse et ça semble très sincère. C'est beau à voir.

Il est un peu efféminé, cela dit. J'espère que ça ne jouera pas contre lui. Parce que ce gars-là, je le trouve intéressant. Il semble participer à *M'as-tu vu ?* pour les bonnes raisons (si une telle chose est possible). Je veux dire par là qu'on dirait qu'il n'a pas autant soif de célébrité et de succès qu'il a envie de relever de nouveaux défis. C'est un gars inspirant. Il aurait mon vote, lui.

Mais je ne vais quand même pas appeler et voter pour son collège. Pas tant par solidarité envers ma polyvalente que par choix esthétique : il me semble qu'un nom de collège comme ça (Carmélites-au-cul-béni), ça ne mérite pas d'exister ! Je ne peux pas encourager ça. C'est contre mes principes. Désolée, charmant Mathys.

ÉCOLE SECONDAIRE PIERRE-JEAN-JACQUES
En Montérégie.
École fondée en 1976 par Pierre Jean-Jacques lui-même !
Inscrite par Magali-pas-de-E.
Eh, *boy*.

On la présente sous son plus beau jour, évidemment. Magali se décrit comme une élève passionnée par les arts. Elle se dit artistique (c'est ça, oui…) et aspirerait à une carrière en mode ou en chanson. « Il y a trop de choses qui m'intéressent pour le moment. Je me vois pas choisir encore. De toute façon, j'ai toute la vie devant moi, blablabla… »

Mais ce qui me scie les jambes, c'est qu'elle parvient à se démarquer en endossant une cause. Elle, Magali-pas-de-E, avec une cause ! Et le pire, c'est qu'elle en détient une intéressante, rarement exploitée. « Je veux interdire l'accès aux salons de bronzage au moins de 18 ans. Les cabines de bronzage sont cruelles. Tu peux rapidement développer un cancer de la peau. Tu veux juste être belle, alors que tu mets ta santé en péril. C'est très dangereux. J'ai d'ailleurs créé un slogan pour toutes les filles de secondaire 5, un genre de mise en garde : *Il vaut mieux aller au bal des finissants pâle que morte !* » Ark-e ! Quel slogan de marde !

J'aurais presque envie de rire, mais je ne peux pas. Il n'y a pas de quoi rire, car elle confie ensuite à la caméra, en plan rapproché, que sa mère s'est fait détecter un cancer de la peau cet été. « Maintenant, ma mère est hors de danger, heureusement. Mais ça m'a fait réaliser des affaires quand même. Ça m'a fait prendre conscience que si je poursuivais mes démarches de bronzage au même rythme que ma mère l'a fait, mes chances sont bonnes de développer un cancer moi aussi, même si j'ai juste 15 ans et demi. Ça m'a mis…

euh… comment on dit donc? Ah oui, ça m'a mis la puce à l'oreille!»

On dirait qu'elle a appris chacune de ses phrases par cœur. Elle tente clairement d'amadouer les téléspectateurs. Et elle réussit, sans doute! Ratoureuse Magali-pas-de-E. Eh, *boy*! Elle se cherchait assurément une cause unique à endosser pour la téléréalité. Eh bien, chapeau! Elle en a trouvé une excellente. Le cancer de la peau de sa mère, c'est presque un mal pour un bien, au fond. Ça frôle la bénédiction, son affaire. Oh, que je ne suis pas fine de dire ça. Je glousse dans ma barbe!

– Hon. Ben, t'étais pas dans l'épisode, finalement…
– Ben non, maman. Cinq écoles de plus de 500 élèves par école, ça donne près de 3000 élèves. Je suis pas surprise qu'on m'ait pas vue. Sors-toi ça de la tête, cette idée-là, maman, ou bedon tu vas être triste pendant quatre semaines. Si on fait toute la *run*!

Deux heures plus tard, je me couche un peu triste. C'est dur à m'avouer, mais je crois que j'aurais aimé me voir un peu.

Juste un tout petit peu, pour me prouver que j'existe.

JOUR 3

Ce matin, ma mère m'annonce la nouvelle : les cotes d'écoute sont grandioses, inespérées. *Cool comme tout!* espérait atteindre les 100 000 téléspectateurs. Eh bien, contre toutes attentes, c'est plus de 275 000 Québécois qui ont passé leur mardi soir, entre 19 et 20 heures, à regarder les présentations des cinq écoles en compétition pour *M'as-tu vu?*. Pour une chaîne spécialisée, il paraît que ça tient du miracle! Je sais ce que ça veut dire : Magali est rentrée dans la maison de 275 000 Québécois. Sa tête ne passera plus dans les cadres de portes de Pierre-Jean-Jacques, c'est comme rien.

C'était prévisible : à l'école, tout le monde la félicite. C'est son premier véritable jour de gloire. Les bravos pleuvent sur elle, dans les pauses : « T'étais bonne. », « T'étais belle. », « C'était beau, ce que t'as dit sur ta mère et son cancer. », « Je te trouve forte de prendre la parole comme ça. », « C'est important ce que t'as dit, hier. », « C'est beau ce que tu défends, Magali. », « J'espère que t'auras jamais le cancer, toi. », « J'ai trouvé que t'étais poétique. Ouin, c'est ça. Poétique. Ton slogan, genre, je l'ai trouvé poétique. » Eh, *boy*.

Dans le cours d'art plastique, on doit peindre le portrait d'une personne qu'on aime. Magali peint sa mère (j'espère qu'elle lui fera le visage noirci par le bronzage, hé hé!) pour attendrir le caméraman. Maxime peint son petit frère (je trouve ça *cute*!), Marie-Jeanne peint sa grand-maman récemment décédée (bonne fille) et moi, je vais tenter de peindre mon père que je vois trop peu à mon goût. Son ironie me manque beaucoup, ces jours-ci.

Sylvie, l'enseignante, est tellement nerveuse de se savoir filmée qu'elle échappe à plusieurs reprises les pots de peinture en en versant sur nos palettes d'artiste. Pire : en corrigeant quelque chose sur l'œuvre de Maxime, elle sent la caméra la fixer et elle perd tous ses moyens. Résultat : elle gâche l'œuvre de mon voisin de classe. Par chance, il s'en fiche un peu.

— Mon petit frère est trisomique. Il est pas difficile. Il va trouver ça beau quand même.
— Ton petit frère est trisomique ? que je répète, désolée.
— Eh oui.

Je regarde la photo de son frère. On ne peut pas se tromper ; il présente les traits typiques de la trisomie 21. Visage très rond, yeux bridés comme ceux d'un Chinois, petite bouche, petites dents toutes de travers, petites oreilles, cou tout bref, sourire immense et généreux. Je pourrais difficilement être plus attendrie que ça, présentement.

— Et c'est comment, vivre avec un petit frère trisomique ?
— C'est épuisant ! Mais c'est valorisant aussi. Je sens qu'Antonin a vraiment besoin de moi. Et c'est le petit frère le plus reconnaissant au monde.
— Il s'appelle Antonin ?

– Oui.

– J'aime. Qui s'occupe de lui ?

– Mon père et moi. Mais mon père travaille beaucoup, donc Antonin dépend pas mal de moi. Pis il a de l'aide, aussi. Il va dans une école spécialisée.

– Et quand t'es avec lui, tu fais quoi ?

– On joue un peu. On danse à la Wii. On dessine aussi. Mais l'activité préférée de mon frère, c'est regarder la télé. En fait, il passe ses journées à écouter les Télétubbies.

– Les Télétubbies ? Mais c'est vieux, ça !

– Qu'est-ce que tu veux que je te dise : il aime ça ! rigole Maxime.

– Il a quel âge ?

– Dix ans. Il est super affectueux. Si tu venais chez nous, sans doute qu'il te jouerait dans les cheveux en t'embrassant dans le cou.

C'est con, mais voir que Maxime s'ouvre comme ça à moi m'émeut terriblement. J'ai presque envie de pleurer ! À la fois parce que je suis touchée par l'amour qu'il voue à son petit frère, et parce que l'entendre parler de moi « dans sa maison », comme si m'inviter un jour chez lui était envisageable, ça me fait quelque chose. Ça remue quelque chose chez moi. C'est con, je sais.

Je regarde tendrement la peinture de Maxime, légèrement bâclée, et compare avec la photographie scolaire de son petit frère. On y voit un sourire radieux d'enfant, sans malice. Antonin semble adorable.

– En tout cas, il est vraiment très beau, ton frère. Je serais honorée de le rencontrer un jour.

– Ça pourrait se faire, me dit Maxime en me faisant un petit clin d'œil absolument chavirant.

Mon cœur fait une cabriole. Sans doute qu'il s'emballerait encore un peu plus, si Sylvie ne profitait pas du moment pour s'extasier absurdement devant la peinture hideuse de Magali : «Regardez tout le monde comme c'est beau!»

L'«œuvre» de Magali n'arrive pas à la cheville de celle que Marie-Jeanne vient de terminer. Un magnifique hommage à sa grand-mère.

Sylvie poursuit dans son enthousiasme de bas étage : «On va la déposer sur le chevalet pour que le caméraman fasse de belles prises. Hein?»

Sans commentaire.

*

L'école est finie pour aujourd'hui. Les caméras sont parties. Les masques tombent, comme à chaque fin de journée. Nous redevenons tous ce que nous sommes réellement : des ados ordinaires aux sourires inconstants et aux convictions très fragiles.

Nous sommes dans le corridor des casiers des secondaires 3, Magali et ses deux amies pots de colle (les deux NY), et moi, à l'écart. Magali enfile son manteau d'automne trop étroit pour être un vrai manteau d'automne. Ça ressemble plus à un manteau d'été, tellement il ne semble rien réchauffer du tout. En tout cas, c'est un manteau hors saison que les *fans* de Magali trouvent splendide.

— Ton manteau te va tellement bien! s'extasie Shany.
— Ça te donne une taille super mince! renchérit Fanny.
— C'est que *j'ai* une taille super mince, précise la reine de notre école.

Eh, *boy*, que j'éprouve du bonheur à écouter discrètement leur discussion! Ça nourrit mon cynisme face à ce trio désespérant.

— Eille, Mag, tu veux-tu venir chez nous? demande une des deux NY interchangeables.
— Peux pas. Je vais aller me faire bronzer avant de souper chez nous.
— *Cool*, décrète l'autre disciple.
— Après ton souper? supplie pratiquement la première.
— Ouais, ça pourrait être *cool*…

Quoi? Magali au salon de bronzage? Magali-je-dénonce-les-cabines-de-bronzage-parce-que-ça-donne-le-cancer-de-la-peau va aller se faire dorer la couenne dans un cercueil bronzant? Je ne peux pas rester en dehors de ça plus longtemps. Je m'immisce dans leur conversation.

– Euh, excuse-moi, Magali, je voulais pas écouter, mais j'ai entendu quelque chose d'un peu surprenant. T'as-tu l'intention d'aller au salon de bronzage pour de vrai?
– Oui, pourquoi? En quoi est-ce que ça te regarde, au juste?

Shany et Fanny me regardent comme si j'étais la dernière des connes. Je le leur rends bien en en faisant autant.

– Mais je t'ai entendu dire hier soir à la télé que tu voulais partir en croisade contre ce genre de salon. Que ça causait des cancers de la peau. Comme celui de ta mère…
– Oui, et? C'est quoi le problème?
– Il me semble que c'est pas super cohérent.
– Penses-tu vraiment que je vais passer l'hiver blanche comme un drap?!
– Mais comment tu peux dénoncer une chose et continuer à y adhérer à la fois?
– Parce que je suis plus nuancée que toi, la *si belle* Cybèle Campeau-Grégoire. Je vais pas aller me faire brûler la peau. Je vais y aller de temps en temps. De manière raisonnable. D'ailleurs, tu devrais y aller toi aussi. T'es blanche comme un drap.
– Je suis rousse. Je dois fuir le soleil. Encore plus les salons de bronzage.
– Ah, ben ça, c'est ton problème. Pas le mien.

Magali étire son sourire, mais ça n'a rien de gentil. Shany et Fanny en font autant. Je soupire devant tant de sottise réunie, je barre mon casier et je tourne les talons.

Pauvre conne. Si j'étais méchante, je lui souhaiterais de cramer au fond de sa cabine de bronzage. Mais je suis fine, fine, fine. Je vais seulement espérer qu'elle pogne un bon gros coup de soleil artificiel partout sur son si beau visage à la Selena Gomez.

*

Le soir, avec ma mère, je regarde sans entrain le second épisode de *M'as-tu vu ?*. On consacre moins de temps aux *leaders* des écoles et on fait le tour des autres élus. On accorde un peu de temps à Héroïque Héloïse. Elle s'en tire plus ou moins bien. Moins que plus, en fait. Elle est plutôt malhabile à l'écran. Elle cherche ses mots et manque de naturel. Un peu comme notre prof de français, monsieur Robillard. Parlant de prof, pas d'extrait de Charles, le comédien déçu/déchu qui nous enseigne l'art dramatique. Rien. Même pas un petit bout de sa tirade de Racine, ou bien une saynète où il improvise avec nous. Juste Magali qui joue une fée des dents dans une impro-claque. Pauvre Charles. Il doit être bien triste. Ce n'est pas ce soir que le Québec le découvrira. Peut-être encore un autre dix ans à Pierre-Jean-Jacques ?

JOUR 4

– Tu m'as trouvée bonne, Cybèle? Pour de vrai, là?
– Oui, je te jure. T'étais bien.
– Juste bien?

Dans l'autobus, je suis prise pour mentir à Héloïse. Je déteste ça. Je ne peux quand même pas lui dire que ses phrases étaient mal construites et qu'elle avait l'air stupide à l'écran? Mieux vaut la flatter dans le sens du poil.

– Plus que bien. T'étais très bien.
– Tu dis pas ça pour être fine, hein?
– Ben non.
– Fiou. Eille, t'es pas costumée?
– Mon déguisement est dans mon sac. Je vais le mettre rendue à l'école.
– OK. Moi, je suis costumée en brigadière. T'avais-tu remarqué?
– Oui, c'est assez ressemblant.
– Pour de vrai? Tu dis pas ça pour être fine?

Héloïse est héroïquement épuisante!

Demain, c'est l'Halloween. Pour être raccord avec la diffusion demain soir de ce que les caméramans filment aujourd'hui, la production de la téléréalité nous a demandé de nous costumer comme si c'était aujourd'hui, le 31 octobre. Nous arrivons donc tous déguisés, ou filons rapidement aux toilettes compléter notre costume avant le début des classes. Dans les corridors, au plus grand plaisir des caméramans, on voit de tout : des vampires, des poupées, des prisonniers, des princesses, des fantômes, des sorcières, des superhéros, des momies, des Chaperons rouges, des pierrots, des cowboys, des Lady Gaga, des animaux, alouette ! Un jour avant l'heure. Nous sommes collectivement décalés. On fait tous comme si.

Pour ma part, je vais aux toilettes peaufiner mon déguisement d'abeille. Pas une abeille *sexy*. Je tiens à le préciser. Une abeille très normale. Avant le premier cours de la journée, je sors de la cabine des toilettes, comme une foule d'autres filles, mais personne ne dit rien. Pas de « Hon, mais t'es donc ben belle, Cybèle ! » ni rien qui s'en approche. Mon costume n'a rien d'extravagant, alors je passe un peu dans le beurre, comme toujours. Ce qui n'est pas le cas de Marie-Jeanne qui, elle, a mis le paquet ! Je la vois sortir fièrement de sa cabine. Elle a une assurance sidérante.

– Grrrrrrr…T'as vu, Cybèle ? Je suis Catwoman !
– Oui. *Wow.* J'avais remarqué. Comment faire autrement ?
– Oui, hein ! C'est quelque chose !

Marie-Jeanne est déguisée en immense femme-chat. Son costume, en cuir très moulant, me jette réellement sur le cul. Tant pour sa beauté plastique que… disons… son côté très… très *sexy*. Ce qui est inhabituel, pour une fille avec des dimensions aussi … humm… spacieuses !

– Où est-ce que t'as déniché ça ?
– Nulle part. Je l'ai fabriqué.
– T'es folle ! T'es tellement bonne.

Cette fille-là est un puits sans fond de surprises. Elle a toute mon admiration. Tant pour le talent que le culot !

Les filles autour de nous sont silencieuses, bouche bée par tant de force. Elles se regardent entre elles, pour voir comment les autres réagiront. Dans le lot, je discerne Shany et Fanny, toutes les deux en infirmières *sexys*, et entre elles, leur idole, la reine des secondaires 3 en personne, Magali, en ridicule oiseau du paradis. Trop de plumes, trop de boas, trop de couleurs. Elle donne un peu mal au cœur. Elle lève un peu le nez (le bec, pour être exacte) et livre sa sentence avec son plus beau ton ironique.

– Ouin, la toute délicate Jeanne fait sa chatte.
– On peut rien te cacher, que lui réplique mon amie sans tamiser son sourire.
– J'espère que les coutures de ton *suit* vont pas lâcher. Ç'a l'air un peu serré, non ?

Marie-Jeanne prend une inspiration pour se calmer. Son sourire demeure intact. Moi, je suis sur le bord d'exploser. Mieux : de piquer Magali avec mon dard.

– J'ai bien cousu, inquiète-toi pas.

– Ouin, ben je vais quand même me tenir loin, au cas
où. J'aurais peur de recevoir une de tes grosses coutures
dans le front !

Je suis incapable de me taire. Alors je dis la première
insulte qui me vient à l'esprit.

– Oui, tiens-toi loin, Magali. Les chats adorent mordre
dans la cervelle d'un oiseau. Si jamais ça arrive, tes
deux splendides infirmières personnelles et cochonnes
se feront un plaisir de te soigner, j'en suis certaine. Te
soigner en te remplissant la tête de plumes, genre.

Notre vedette locale est sans voix. Elle fige un moment,
regarde les deux infirmières simili-cochonnes, puis
décide de ne rien répliquer. Je suis si fière de lui avoir
cloué son bec de rapace que je regrette de ne pas l'avoir
fait en présence d'une caméra. Mais non, nous sommes
dans les toilettes des filles. Le caméraman attend probablement derrière la porte, pour filmer la sortie aérienne
de Magali, l'oiseau de malheur de notre école. J'espère
que sur son visage, il restera tout de même une trace de
la réplique que je lui ai lancée.

Une fois l'oiseau sans cervelle et sans cœur et les infirmières sorties, Catwoman me regarde avec respect.

– T'es vraiment très *cool*, Cybèle.
– Je sais, que je lui lance en riant.

Sur le plancher, il y a une tache mauve. C'est une plume du costume de Magali. Je la ramasse et la remue sous le nez de Marie-Jeanne. Elle me fait un clin d'œil avant de mordre à pleines dents dans la plume. Elle fait ça à la fois pour me faire rire et pour me montrer qu'on ne se laissera pas faire, elle et moi. Qu'on veut aussi prendre notre place.

Marie-Jeanne recrache la plume, comme si elle venait d'avaler un oiseau.

J'ai l'impression que nous venons de sceller quelque chose de précieux. Quelque chose comme une amitié.

*

Dans la classe de mathématique, je questionne Maxime du regard.

— Hum… T'es costumé en… en bonhomme vert?
— Pas loin. Je suis un martien.
— Ah, ben oui. Ça te va bien. Mais… euh… ton maquillage est pas super bien étalé.
— C'est la faute à Antonin. C'est lui qui a tenu à me maquiller, à matin.
— Ah, c'est *cute*!
— C'est ça, si c'est moi qui me maquille, c'est laid, mais si c'est mon petit frère, c'est *cute*! Tu fais du favoritisme, petite abeille!

Nous rions. Maxime sort sa pastille de vert.

— Le cours est pas encore commencé. Tu m'aides à égaliser ça?
— Avec plaisir.

Et c'est vrai que ça me fait plaisir. J'ai le feu vert (ha ha!) pour passer l'éponge à maquillage partout sur le joli visage et le cou de mon voisin. J'égalise du mieux que je peux. Je m'applique en tentant d'en profiter le plus possible, comme si c'était un acte interdit. Le bout de mes doigts l'effleure par moments. J'ai peur qu'il les trouve froids. Il ne fait aucun commentaire, par chance. Je m'attarde un peu sous son nez, là où il manque de maquillage.

— C'est rugueux on dirait…
— Je commence à me raser, c'est normal. Je suis un homme!

Je frémis de désir. Je suis vraiment une tarte.

— Pis? Est-ce que je suis beau?
— T'es suuuper beau.

Et comme je crains m'être trop livrée, je précise ma phrase.

— Le plus beau martien de l'école.
— Merci. T'es probablement la plus belle abeille de l'école, ça tombe bien. On est pas pire pour des rebuts de fond de classe!

La costaude Marie-Jeanne arrive à ce moment-là. Elle a dû entendre la fin de notre discussion, car elle décrète très fort, avec une assurance louable :

– Et moi, je suis la plus belle Catwoman de Pierre-Jean-Jacques !

Le cours commence. Le prof explique la matière. Le caméraman filme Magali, qui se compose une face concentrée. Mais tout ça ne me concerne pas. Je suis bien, isolée derrière la faune, entourée d'un martien et d'une femme-chat.

*

Le soir vient. Maman m'attend au salon pour regarder son émission favorite. Mais je ne viens pas.

Je préfère écrire dans ma chambre.

JOUR 5

Nous sommes l'Halloween pour vrai, aujourd'hui. Célébration maudite chez les Campeau-Grégoire.

Mes parents ne sont plus ensemble depuis un an pile. C'est dû à l'érosion des sentiments, que prétend mon père. L'érosion des sentiments : c'est fort joli comme expression (mon père est écrivain…), mais ce que ça signifie l'est pas mal moins. La routine aurait eu le dessus sur leur amour. Mais la vérité, c'est que mon père est allé voir ailleurs. Ça a dû accélérer *l'érosion des sentiments*, j'imagine.

N'allez pas croire que leur séparation a affecté mes notes, mon humeur et tout et tout. Non. La rupture était prévisible, selon moi. Je ne suis pas tombée en bas de ma chaise, et je n'ai pas tenté de les convaincre de rester ensemble. Je voyais bien, moi, que mon père n'aimait plus ma mère. Je voyais bien que ses sentiments s'étaient *érodés*.

Donc voilà : ça fait exactement un an que mon père (David Grégoire, romancier *underground*) a laissé ma mère (Jolène Campeau, caissière à la Caisse populaire).

Il y a une chanson de Dolly Parton (une chanteuse country super populaire dans les années 70, surtout) qui porte le prénom de ma mère, mais en anglais. Dans *Jolene*, Dolly supplie une autre femme, plus belle qu'elle, de ne pas lui voler son homme. Elle ne peut pas rivaliser avec elle. Jolene la supplante à tous les niveaux : une plus belle chevelure auburn, une plus belle peau d'ivoire, de plus beaux yeux émeraude, un plus beau sourire, une plus belle voix… Dolly Parton termine la chanson en lui disant que son bonheur dépend d'elle. Rien de moins. On ne sait pas si Jolene choisit de mettre le grappin sur l'homme de Dolly ou pas.

À l'époque où ils étaient encore ensemble, mon père, avec sa plus belle voix nasillarde (pour pasticher un peu Dolly), chantait tout le temps *Jolene* à ma mère. Il voulait la faire rire (ce qui marchait bien), comme si elle était une maîtresse avec laquelle il trompait sa vraie femme. Eh bien, Jolène (ma mère) n'a pas eu la même chance que la Jolene de la chanson. Mon père en a trouvé une plus belle. Ça marche comme ça dans la vie : il y a toujours plus belle que nous.

Mon père l'a laissée pour une autre Jolène (une Marie-Annick, à vrai dire) le jour de l'Halloween. Ma mère a cru à un poisson d'Halloween, mais ça n'existe pas. C'est en avril que ça se passe, ce genre de gag. C'était plutôt comme un film d'horreur pour ma mère. Il a choisi la bonne célébration pour tout foutre en l'air, selon elle.

Ça a pris des mois avant qu'elle s'en remette. Elle a mis un temps fou avant de retirer les décorations d'Halloween, comme si elle ne voulait pas que le temps file. Comme si le moment était fixé, et que mon père allait rentrer d'une minute à l'autre. Cette année-là, ma mère et moi, on a fêté Noël avec des fantômes suspendus au-dessus de nos têtes en guise de feuilles de gui, un immense mannequin de vampire en guise de sapin et des guirlandes de chauves-souris au lieu de lumières rouges et vertes. Ç'a été le Noël le plus décalé de ma vie. Le plus lugubre, surtout.

Ma mère va mieux, maintenant. Mais je vois bien que les décorations d'Halloween partout dans la maison lui font mal.

*

Rien à signaler du côté de l'école Pierre-Jean-Jacques, sinon que Maxime a été absent toute la journée.

Je trouve les cours très longs. Même les facéties de Marie-Jeanne ne parviennent pas à me divertir.

La seule chose qui me réjouit, c'est que ce soir et tout ce week-end, je serai chez mon père et Marie-Annick. J'ai besoin de me changer les idées. La téléréalité et ma mère m'ont un peu épuisée, cette semaine.

SAMEDI (BONUS)

Passer du temps avec mon père et sa nouvelle Jolène, c'est fort agréable. Ça fait du bien de voir un couple amoureux et sain dans ma vie. Ma mère est une femme un peu malheureuse. Pas dépressive, mais quand même. Il lui manque quelque chose dans sa vie, je trouve. Quand je suis avec papa et Marie-Annick, je sens que leur vie frôle la sérénité. Et c'est comme si par osmose, j'oubliais un peu mes problèmes. Comme si j'oubliais *M'as-tu vu?* surtout. Car non, eux, ils ne suivent pas ça. Ça ne les intéresse pas. À part pour une petite question que me demande ma belle-mère.

— Pis, est-ce que ton père et moi, on t'a manquée à la télé cette semaine?
— Non. Pis ça risque pas d'arriver.
— Tant mieux, tu vas pouvoir *focusser* sur les choses importantes.

Je ne sais pas avec certitude quelles sont les choses importantes, mais c'est évident que Marie-Annick considère elle aussi que *M'as-tu vu?* n'en fait pas partie. Ça clôt le sujet. Finie la téléréalité. Reste plus que *ma réalité*, toute simple et banale.

Mon père se lève et se rapproche de moi. Il a l'air cérémonieux. Il passe sa main dans mes cheveux. Il repousse mon toupet vers l'arrière, comme s'il lui déplaisait. Mon toupet, c'est récent. Il date de la rentrée scolaire. C'était une manière de réduire mon front désespérément vaste

67

et long. Je me trouvais brillante de le masquer avec une frange, mais on dirait que mon père n'aime pas ça. Il ne le verbalise pas, mais je le comprends quand il la dégage de mon front, cette frange rousse. À moins que mon paternel voue un culte à mon front. Ce qui serait très *weird*, entre vous et moi. Non, je crois qu'il doit simplement aimer se reconnaître en moi. Et puisque mon front ressemble au sien, il a envie que je le garde à découvert. Un front vaste et long, pour un écrivain, c'est séduisant. Pour une ado de 15 ans, c'est un désastre.

— Cette histoire de téléréalité te vire pas trop à l'envers?
— Non, pourquoi?

Je ne comprends pas ce qu'il entend par «virer à l'envers». Il n'a pourtant pas l'habitude de me traiter comme une gamine.

— Tu connais mon aversion pour ce projet-là. Marie-Annick et moi, on voulait te dire que si tu voulais changer d'école, on serait heureux de t'inscrire dans un collège privé. On a consulté notre planificateur financier, et on aurait les moyens. Le collège à deux pas de la maison, tu sais?
— Oui, mais, euh… Est-ce que ça impliquerait que je déménage ici?
— Pas nécessairement. Maman est pas loin d'ici… Disons simplement que tu passerais sans doute plus de temps ici, avec nous… Tu aurais véritablement deux maisons à égalité. Disons ça comme ça.
— Mais maman… Je pense pas que maman…

— Pense pour toi, un peu. Si la téléréalité te gâche la vie, tu nous le dis, et on t'accueille ici. Maman comprendrait ça. T'as pas à subir ce que tu subis.

— Mais tu sais pas ce que je subis.

— Je m'en doute, ma chérie. J'ai déjà eu 15 ans.

— Non, non. Ça va. Tout est correct.

— Tout ce que je veux te dire, c'est que si ça se passe pas bien, tu as une autre option. Ici, avec Marie-Annick et moi. Dans une école privée, plus sérieuse, où tu ne risquerais pas de te retrouver catapultée de force dans une téléréalité.

— Message reçu, papa.

J'ai besoin d'une bonne douche. Les jets d'eau ont des propriétés magiques sur moi. Je file à la salle de bains. Elle est lumineuse et spacieuse. Elle est décorée avec beaucoup de goût. Tout est blanc et vert lime. Chaque accessoire et chaque serviette sont minutieusement choisis. Tout est agencé. Marie-Annick a du talent pour le design de présentation. Pas étonnant, c'est son métier! Elle s'est même procuré des rouleaux de papier de toilette vert lime. J'imagine que c'est ultra-dispendieux. Elle les exhibe sur le support à rouleaux. C'est seulement pour le look. Au diable l'utilitaire! Elle accepte que je les utilise, mais en principe, elle les réserve seulement aux invités. Mon père et elle prennent du papier normal, blanc et économique, caché dans les armoires, à l'insu des invités. Je me sentirais mal de leur voler des carrées de PQ d'aussi bonne qualité, alors je prends moi aussi le rouleau caché.

J'aime prendre ma douche chez mon père et sa blonde. Contrairement à ma mère, ma belle-mère achète des savons ultra-sophistiqués. Des savons qui te donnent une peau douce et odorante, tout en y laissant des résidus d'épices. En frottant le pain de savon sur notre corps, on a l'impression de le décaper, d'en retirer réellement la saleté. J'ai demandé un jour à ma mère qu'elle achète cette sorte de savon, mais elle a refusé sous prétexte que ça coûte cher pour rien et que « ça donne l'impression de grafigner notre peau ». Quand je reviens des week-ends chez mon père, j'ai l'impression d'être purifiée. Je ne sais pas si c'est grâce à David et à sa Jolène, ou si c'est grâce à leur savon. Ou un peu des deux.

Si je restais ici la semaine, je serais constamment purifiée, et en plus, je me tiendrais loin de *M'as-tu vu?* et de Magali-pas-de-E. Mais bon, je ne suis pas naïve : je sais bien que toutes les écoles renferment une petite Magali-pas-de-E. Même un collège privé.

J'erre dans la maison neuve en la regardant d'un nouvel œil. Et si tout ça devenait mon nouveau toit? Et si ici commençait une nouvelle vie? Personne ne me connaît ici. Je pourrais recommencer à neuf. Prétendre que j'étais une fille extrêmement populaire avant, à l'école Pierre-Jean-Jacques, pour qu'on s'agglutine autour de moi. Je pourrais même arriver attifée en Magali-pas-de-E. Me faire cuire la peau dans un cercueil de bronzage. Arriver basanée en plein cœur de l'automne! OK, j'avoue : plus rouge homard…

Mais je sais bien que je n'ai pas ça dans les gênes. Me lier d'amitié avec les gens, ça m'est complètement étranger. Je n'ai jamais su comment il faut faire. Même si je recommence dans une nouvelle école, je prédis que le cycle de ma solitude reprendra aussitôt.

Cybèle Campeau-Grégoire demeurera à jamais Cybèle Campeau-Grégoire pas si belle que ça.

Et si je viens ici, je suis certaine de trouver une autre Magali-pas-de-E dans la nouvelle école, mais pas certaine du tout de trouver une autre Marie-Jeanne Grosjean aussi divertissante que la mienne. Ou un Maxime Daneau aussi charmant que le mien. Non, je vais prolonger encore un peu mon mini-calvaire à Pierre-Jean-Jacques. Présentement, c'est un calvaire qui se prend bien, aussi bien entourée au fond des classes.

Alors que je fais ce petit bilan de vie, j'atterris devant ma chambre. Jusqu'à aujourd'hui, je la surnommais mentalement ma chambre *de fortune* ou *d'invitée*, car je n'avais pas le sentiment qu'elle m'appartenait vraiment. Les choses pourraient changer. C'est une chambre plutôt grande. Je m'y verrais bien, l'habiter davantage, en commençant par la meubler et la décorer selon mes goûts. La connaissant de mieux en mieux, je suis sûre que Marie-Annick me laisserait entière liberté.

En entrant dans *ma* chambre, une plume qui pendouille du plafond vient chatouiller une partie de mon front vaste et long. Je lève les yeux et constate que

Marie-Annick a fait l'acquisition d'un énième capteur de rêves pour la maison, cette fois pour la chambre où je crèche.

Oui : la nouvelle flamme de mon père, bien que douée pour la décoration, a un côté ésotérique un peu ridicule. Genre qu'elle suspend des capteurs de rêves (eh, *boy*!) et des pièges à sorcières (je ne connaissais pas ça!) un peu partout dans leur nid d'amour. Question de préserver leur sérénité, j'imagine. Mais Marie-Annick, en soi, je ne la trouve pas ridicule. Même que je l'aime bien. Elle est zéro infantilisante et ne me donne jamais aucune leçon. En fait, elle me parle comme à une amie. D'ailleurs, je sais bien qu'on nage en plein cliché, mais elle a seulement 12 ans de plus que moi. Elle est plutôt jeune (27 ans), mais elle a une voix de cendrier qui me fait beaucoup rire. Et le pire, c'est qu'elle jure ne jamais avoir touché à une cigarette de sa vie!

Ce qui la définit le plus selon moi, c'est qu'elle passe ses temps libres à écouter des chanteuses à la voix rauque qui inondaient les ondes des radios dans son enfance. Des Térez Montcalm, Melissa Etheridge, Sass Jordan, Bonnie Tyler, Kim Carnes. De cette dernière, les week-ends, elle écoute en boucle *Bette Davis Eyes*. Elle est sur le point de me la faire aimer, cette chanson. Au début, je riais de la voix de Carnes, un vieux cendrier garni de milliers de *botches*. Mais à présent, je me plais à l'imiter en salissant ma voix. Marie-Annick, pour imiter ses chanteuses préférées, n'a pas besoin d'en faire beaucoup; il y a tout un cocktail de nodules sur ses cordes vocales qui lui font une belle voix rocailleuse. Ça lui donne un côté rockeuse que j'aime beaucoup. En tout cas, les nodules qui prolifèrent en elle sont une bénédiction des dieux ; elle a toujours voulu chanter sale comme les chanteuses favorites de son enfance. Grâce aux kystes qui pullulent sur le bord de ses cordes vocales, elle accote Kim Carnes et les autres voix de cendrier.

Je passe mon samedi à chanter *Bette Davis Eyes* en duo avec ma belle-mère ! On présente d'ailleurs une version peaufinée de notre duo à mon père qui nous applaudit à tout rompre, non pas en signe d'appréciation, mais plutôt pour nous faire taire. Je me vois bien, vivre ici et passer mes soirées à chanter avec ma belle-mère…

À la fin de la journée, je demande à Marie-Annick la permission pour mettre la chanson sur mon iPod. Elle se charge elle-même de la transférer, flattée comme si c'était elle la créatrice de ce succès des années 80.

Cette semaine, pour m'évader de *M'as-tu vu ?* (si jamais par malheur ça se poursuit pour notre école), je n'aurai qu'à enfiler mes écouteurs et m'abandonner à la voix de cendrier de Kim Carnes qui chante la beauté d'une fille férocement plus belle que Magali-pas-de-E. Et comme c'est permis de rêver dans la vie, je me plairai à me dire que cette fille mystérieuse, eh bien, c'est moi.

SEMAINE 2
JOUR 6

Alléluia pour Magali-pas-de-E : notre école a survécu à la première semaine de coupure. Nous l'apprenons ce matin : c'est le collège des Carmélites-au-cul-béni qui a été retiré de la compétition. De deux choses l'une, ou bien le Québec révèle ses tendances homophobes en écartant ce petit Mathys ultra-touchant, brillant et un peu maniéré, ou bien il n'encourage pas, comme moi, des noms de collèges aussi absurdes que celui des Carmélites-au-cul-béni. Pauvre Mathys Grégoire. On vient de couper celui qui méritait le plus mon respect. Mais dois-je vraiment être surprise ?

Pour inaugurer la deuxième semaine de la compétition, Magali décide de frapper fort, pour qu'on vote encore pour notre école. Alors que le mois de novembre vient à peine de débuter, elle a l'idée saugrenue d'organiser une immense guignolée de Noël, question d'émouvoir les téléspectateurs. Elle est donc déjà là quand on arrive à l'école. Elle est plantée en plein milieu du corridor, heureuse, avec un bonnet de père Noël et une petite robe *sexy*, rouge, ultra-moulante. Un genre de mère Noël nouveau genre. Très nouveau genre, même. Elle est là, et elle massacre puissamment la chanson *Vive le vent*. À chaque syllabe, elle remue sa grosse chaudière pleine de monnaie, ce qui crée un rythme absurde. Heureusement que son brassage d'argent masque un peu sa voix nasillarde. Elle chante comme Ke$ha, mais en moins beau. Si je jette une pièce de 1 $ dans sa chaudière, c'est uniquement pour la faire taire. Mais c'est raté. Elle continue. Pire : elle reprend la même chanson depuis le début.

«Sur le long chemin
Tout blanc de neige blanche
Un vieux monsieur s'avance
Avec sa canne dans la main… »

Eh, *boy*. C'est à croire qu'elle ne connaît que cet air-là. Apprenez-lui d'autres chansons de Noël, pour l'amour ! Ou mieux : offrez-lui une splendide extinction de voix en cadeau. Question que toute la population étudiante de Pierre-Jean-Jacques en profite !

J'aurais peut-être dû lancer ma piasse dans sa grande bouche ouverte, question de lui clore le bec et la trachée ? Pour le bien de l'humanité. OK, j'exagère à peine. Disons seulement la petite humanité de notre école secondaire.

Je regarde autour de moi. Eh, *boboy*. Je semble être la seule à soupirer d'exaspération. Les autres élèves sourient. Des sourires exagérés et exaspérants. C'est tout de même curieux. Il me semble bien que Magali chante objectivement mal. Non ? Je suis tout de même pas folle ! À moins que je sois la seule à m'être curé les oreilles ce matin? Je plisse les yeux pour évaluer la quantité de cire jaune dans les oreilles des élèves transis de bons sentiments quand je constate que la caméra est braquée sur Magali et eux. Je crois que j'ai trouvé une explication! Mes collègues de classe mériteraient tous un diplôme dans l'art de la simulation. Dès que le bouton rouge de la caméra s'allume, leur attitude change. De blasés et méprisants, ils deviennent tous allumés et compatissants. Ils sont ridicules.

La caméra effectue un panoramique vers moi. Je sens que je suis filmée. Vite, me cacher. Mais mon réflexe est sidérant: je me mets à sourire. Pire: je fredonne avec Magali.

« … siffle la romance
Qu'il chantait petit enfant… »

Bon, OK, OK. Je ne vaux pas mieux que mes collègues. La caméra me rend conne, comme les autres.

*

Sur l'heure du midi, Maxime m'explique, à ma demande, son absence de vendredi dernier.

— La gardienne d'Antonin pouvait pas venir. Ça fait que je me suis dévoué. Je me suis occupé de lui toute la journée.
— T'es vraiment fin.

— Je suis pas fin ; j'avais envie de me sauver de ce genre d'affaire !

En disant ça, il pointe du menton l'escouade guignolée de Magali qui est sur le point de sévir dans la cafétéria. Ça prend de l'ampleur. Magali est parvenue à rapatrier les autres élus de l'école pour donner plus de punch à l'événement et *booster* la fraternité entre les niveaux (tout ça sous l'œil avisé de la caméra, bien évidemment). Le petit Julien, l'exotique Aïcha, le plastique Steven et la malhabile Héroïque Héloïse entourent notre Magali nationale. Steven, afin de charmer la lentille et la gent féminine, décide de retirer son tee-shirt, en exigeant que les gens soient plus généreux en échange. Comme c'est un beau geste pour l'humanité, Steven. Tes abdos vont peut-être sauver une famille québécoise dans le besoin à Noël.

Mais ça marche. Les filles de secondaires 4 et 5 lui apportent directement des pièces de monnaie. Une d'elles va jusqu'à glisser un billet de 5 dollars dans la poche de son jeans, au grand bonheur du caméraman. Magali apprécie visiblement moins la chose, elle qui choisit de redoubler d'ardeur dans sa chanson et de s'égosiller encore plus. Les trois autres font piètre figure, autour d'eux. De la figuration sans envergure.

Tandis que nous mangeons nos sandwichs, Magali et sa bande nous offrent gratuitement un spectacle de… de… disons de qualité. Tout ça fera du beau matériel absurde pour *M'as-tu vu ?*!

Mais je ne le saurai pas. Il est hors de question que je regarde ça ce soir. J'ai décroché. Je préfère écouter *Bette Davis Eyes* sur mon iPod.

*

Bon, OK : je regarde finalement l'épisode de ce soir. Je donne une dernière chance à *M'as-tu vu ?*. En fait, ma mère m'oblige presque à regarder l'émission, au même titre qu'elle m'oblige à faire la vaisselle. Le lien est pertinent : ce sont deux corvées.

Générique habituel. Musique extatique comme l'animateur qui relate les faits saillants de la semaine (tous banals) en plus de présenter le résumé filmé de vendredi dernier. La première heure est à mourir d'ennui, mais Jolène est toujours aussi excitée à l'idée de tomber sur moi, quelque part dans la faune anonyme de Pierre-Jean-Jacques (ce qui ne risque pas d'arriver avant la semaine des quatre jeudis et des huit vendredis !).

Les trente minutes de la fin sont crève-cœur. L'animateur-humoriste interviewe sans finesse Mathys Grégoire, porte-étendard de l'école évincée. Le petit génie du collège des Carmélites-au-cul-béni ne semble même pas triste. Il dit à l'écran qu'il est reconnaissant d'avoir pu relever un aussi beau défi. Qu'il est heureux d'avoir tenté le coup ! Bien que son école n'ait pas remporté la bibliothèque flambant neuve, il espère avoir donné le goût de la lecture à ses collègues de classe. Chapeau, Mathys. Chapeau pour vrai. Dans la bouche de Magali, une telle déclaration sonnerait faux. Dans celle de Mathis, on y croit.

D'ailleurs, parlant de la louve, la voici à l'écran dans sa tonitruante guignolée. Ils mettent un extrait de ce qui a été filmé aujourd'hui avec la notice : *Demain, la folie généreuse s'empare d'une école.* Ish. La folie généreuse ? OK, vous avez gagné. J'abdique. Je vais zieuter un peu demain soir, une dernière fois, juste pour voir comment Magali aura l'air ridicule à l'écran, dans son costume *sexy* à la Mariah Carey se prenant pour mère Noël.

JOUR 7

Ce matin, Marie-Jeanne m'offre un dessin. C'est mon portrait qu'elle a fait. Moi, de ¾. Mes cheveux sont remontés en chignon et je semble avoir un surprenant port de reine. Moi, Cybèle Campeau-Grégoire, présentant un port altier?! J'ignore où elle a croqué mon profil ou si elle l'a fait de mémoire, mais c'est très ressemblant. Je me reconnais immédiatement, même si je suis convaincue de ne pas avoir le quart de cette beauté-là. Elle a dû dessiner mon profil le plus avantageux? Ou bien, par le biais de son affection pour moi, elle est capable de me rendre belle?

J'ai toujours eu peu d'amis. Je me suffis à moi-même. Pas de frère, pas de sœur. Juste moi. Et c'est très bien ainsi. Je suis une vraie de vraie solitaire. J'aime être seule. Pour de vrai. Je ne m'ennuie presque jamais (je suis comme mon père : un bon livre me suffit…).

Mais depuis le début de cette mascarade à mon école, je me rapproche de plus en plus de Marie-Jeanne. Elle est maintenant officiellement une *amie*. Et puisqu'elle devient une amie, elle commence à faire des trucs d'amie. Comme me révéler des secrets.

Après m'avoir émue avec son dessin, elle m'apprend qu'elle porte les chaussettes de Steven Tremblay-Buisson pour dormir. Elle les a volées dans une poubelle. Un jour après la fin des cours, en juin dernier, juste avant les vacances d'été, elle a surpris Steven qui nettoyait son casier, avec ses amis. Il y avait trouvé de vieilles chaussettes d'éducation physique sales. Il les avait lancées dans la poubelle la plus près, soit celle de la cafétéria. Marie-Jeanne, qui avait tout espionné, avait attendu le départ des gars pour les récupérer sur un tas de déchets (genre : des sachets de barres tendres, des trognons de pommes et d'autres restants de nourriture moins inspirants). Ses chaussettes puantes, elle les avait lavées et, à ses dires (je suis parvenue à lui tirer les vers du nez), elle les porte fréquemment depuis.

— Mais je suis pas folle : je les ai jamais portées en public.
— J'espère. S'il te pogne, tu vas faire dur.
— Encore faudrait-il qu'il les reconnaisse…
— Ouin.
— De toute façon, ça risque pas d'arriver : je les porte juste pour dormir. J'ai une super mauvaise circulation sanguine. J'ai tout le temps les pieds glacés la nuit. Les bas de Steven me réchauffent.

J'éclate de rire. J'imagine la tête que ferait la vedette des secondaires 4 s'il savait que Marie-Jeanne-Grosse-Jeanne dort avec ses vieux bas.

*

M'as-tu vu ? commence pile à l'heure. À l'écran, Magali chante moins mal, on dirait. Comme si on avait modifié sa voix. Est-ce possible ? Peuvent-ils faire ça, les gens de *Cool comme tout !*, corriger le chant d'autruche d'une grande pimbêche ? Est-ce techniquement possible ? Ou alors c'est moi qui aurais mal écouté, hier? C'est moi qui considérerais subjectivement que tout ce qui sort de la bouche de cette fille est dissonant? Dernière hypothèse, et la plus crédible : c'est la faute du pouvoir magique de la télé. C'est-à-dire avoir la faculté de magnifier même ce qui n'est pas magnifique !

Soudain, je remarque la prise. J'étais là, tout près de Magali ! Vont-ils me montrer à l'écran? Mon cœur se débat, trépigne d'excitation. Tout d'un coup… ?

Mais non. Je porte bien attention : pas de trace de moi. Un coude vêtu d'orange, un bref moment, me fait penser au mien, mais je réalise que je ne portais pas cette veste-là hier matin. C'est quelqu'un d'autre.

Plus que jamais, je suis désintéressée de tout ce manège. Je ne termine pas l'émission et file dans ma chambre écouter le dernier CD d'Adèle. Je chante par-dessus elle, en me faisant croire que ma voix est aussi belle que la sienne.

Mais je sais bien que je ne l'accote pas. Je suis une fille lucide, moi.

JOUR 8

Ça fait un bout de temps que j'éternue sans arrêt le matin. Ma mère trouve ça anormal. Elle m'a obligée récemment à aller consulter notre médecin de famille, qui lui m'a transférée à un allergologue, le Dr Bloomer. C'est ce matin que je rencontre ce médecin spécialiste au nom étrange.

Dr Bloomer, c'est un vieux monsieur anglophone tout voûté. Il massacre mon nom, mais ça ne me dérange pas. Je trouve ça même plutôt *cute*. Son infirmière me prend les avant-bras et y dépose avec une pipette des gouttes translucides de quinze produits non identifiés. Instantanément, j'ai envie de me gratter, mais l'infirmière me l'interdit. Elle fait pénétrer les quinze gouttes inquiétantes avec une aiguille stérilisée. Elle dit le mot *stérilisée* pour me réconforter, mais ça ne fonctionne pas plus qu'il ne le faut. Pour bien marquer chacun des produits, elle gradue mes avant-bras au stylo. J'espère qu'elle se rappellera de l'ordre.

Je poirote vingt minutes dans la salle d'attente avec d'autres patients. Je regarde mes avant-bras qui ressemblent à des béchers, avec leurs centigrades réguliers. À côté des traits de stylo, par endroits, les gouttes commencent à faire leur effet. Je me mets à boursoufler et à rougir, comme si j'avais des piqûres de maringouins assoiffés de sang. Ça me démange, mais je ne me touche pas. J'ai tout un contrôle !

Le Dr Bloomer donne son verdict : je suis allergique aux chats, à l'herbe à puce, aux acariens et aux bouleaux ! Aux bouleaux ! C'est un peu absurde. Le conseil de mon docteur : mettre mes oreillers à la sécheuse pour tuer le plus d'acariens possible, prendre des Réactine à chaque rentrée scolaire et me tenir loin des chats et des bouleaux ! Me tenir loin des bouleaux ! Il est vrai que ma plus grande passion, c'est de serrer les bouleaux dans mes bras ! Non, mais !

J'arrive en retard à mon deuxième cours de la journée. C'est le cours de mathématique. Je tente de rentrer sur la pointe des pieds, sans déranger le caméraman. Raté. Il pivote la caméra sur moi et capte mon entrée. Pas de stress : je sais bien que je serai coupée au montage. J'apporte mon billet de médecin en silence sur le bureau du prof et gagne mon pupitre, tout au fond de la classe, entre Marie-Jeanne et Maxime. Alors que je passe près d'elle, j'entends Magali soupirer. Elle veut clairement me manifester sa frustration. On a détourné la caméra d'elle un tout petit instant à cause de moi. Eh, *boy*.

Pendant que je recopie dans mon cahier Canada les formules complexes inscrites au tableau, Maxime remarque mes bras gradués.

— Qu'est-ce que tu fais ? Tu mesures la longueur de tes bras ? qu'il me chuchote.
— Non, un test d'allergie.
— Et puis ?

– Je suis allergique aux chats, à l'herbe à poux, aux acariens et aux bouleaux.

– Aux bouleaux ? !

Maxime éclate de rire suffisamment fort pour que le professeur et Magali braquent sur nous leurs yeux réprobateurs, et le caméraman, le viseur de sa caméra. Maxime calme son rire et nous rassure en chuchotant.

– Pas de stress : on sera coupés au montage.

*

Je ne regarde pas *M'as-tu vu ?*. Je suis fière de moi, de mon autonomie. Je n'ai pas besoin de ça dans ma vie.

JOUR 9

Dans le cours d'art dram, Charles se calme un peu le pompon. Peut-être qu'il est insulté de ne pas avoir figuré dans le montage la semaine passée et qu'il a pensé revoir sa tactique ? Toujours est-il qu'il en fait moins. Il dirige nos impros avec recul et rigueur, en se gardant une petite gêne pour ce qui est des interventions à titre d'acteur. Je réussis à faire rire la classe en jouant une brigadière de très mauvaise humeur qui souhaite secrètement que les enfants périssent sous les roues d'un gros truck. Tout le monde embarque dans ma proposition déjantée, à l'exception de Magali-pas-de-E et de ses deux NY. Après mon impro, j'entends Magali leur dire suffisamment fort pour que la caméra entende : « C'est trop violent pour être drôle, je trouve. » Charles, heureusement, fait comme s'il n'avait rien entendu. Il est *cool* pendant presque tout le cours. Mais à la fin, ça se corse un peu.

Dix minutes avant que le cours se termine, il ne peut résister à l'envie d'en faire un peu plus qu'il n'en faut : il nous demande de simuler une audition. Il nous tend une photocopie d'une courte scène de son cru. Un texte banal de deux amis se lançant à la gueule leurs quatre vérités. Il nous révèle que parfois, on ne dispose que de quelques minutes pour apprendre un texte. Il faut alors l'enregistrer rapidement dans sa caboche et plonger dans le feu de l'action.

Évidemment, étant donné l'heure, il affirme qu'on aura le temps de ne voir que deux ou trois duos courageux.

– Qui veut se lancer ?

Tout le monde se regarde silencieusement, un peu nerveusement même. Étant donné que c'est un peu glaçant comme projet, l'âme charitable, Charles se met en équipe avec Magali-pas-de-E pour nous faire la démonstration. Qu'il est ratoureux, tout de même ! Il n'est pas stupide ; il sait bien qu'il vient d'augmenter ses chances de passer à la chaîne *Cool comme tout !* en se jumelant de la sorte à la vedette de l'école !

Texte en main, Magali et Charles se mettent à jouer une scène de *rupture d'amitié*. Ce n'est pas mal écrit, mais ce n'est pas un grand texte non plus. Peut-être que Charles espère se faire voir aussi par la population québécoise en tant que dramaturge ? Il connaît suffisamment bien son texte, lui, pour n'y jeter aucun coup d'œil, contrairement à Magali, agrippée à sa feuille comme à une bouée de sauvetage. Chacune des répliques bien lancées par Charles (qui joue sa scène avec conviction et talent, j'en conviens) tombe à plat, n'obtenant pas de réponse de Magali dans un délai raisonnable. Son jeu à elle manque de rythme et est maniéré. Étant donné l'absence monumentale d'aisance de notre *star* de 3e secondaire, je doute fort qu'on retrouve cette scène dans le montage de demain soir. Mais en même temps, peut-être que mon avis est biaisé ? J'avoue que je ne suis pas une experte de l'art dramatique, pas plus que je ne porte Magali dans mon cœur.

Il n'y a qu'une chose que j'aime moins que Magali-pas-de-E : c'est la guignolée ridicule de Magali-pas-de-E. Elle se poursuit d'ailleurs aujourd'hui, plus agressante que jamais.

J'entends entre les branches (et de la bouche de mon amie Marie-Jeanne) la raison derrière cette recrudescence grand-guignolesque : l'Académie de la Sainte-Connaissance, l'école de la future comédienne Julie-Anne Guillemet-André, risque d'être un redoutable adversaire pour Pierre-Jean-Jacques. Il semblerait qu'hier soir, lors de la diffusion de *M'as-tu vu ?*, aurait été présenté un *lip dub*, orchestré par la pétillante et petite Mariloup Wolfe en herbe. Oui, oui, un *lip dub*, ce projet cinématographique maison totalement dépassé (je croyais que c'était interdit depuis 2010 !) qui consiste à filmer en un seul plan séquence des figurants extatiques et *too much* comme mon prof d'art dram, faisant du *lip-sync* avec beaucoup trop de conviction, émergeant de partout pour étourdir le téléspectateur. Le *lip dub* aurait été «impressionnant» selon Marie-Jeanne. J'en doute. Depuis quand un *lip dub* tourné après 2010 est-il impressionnant ?

— Sur quelle chanson, le *lip dub* ? que je lui demande.
— Une chanson de mon cher Justin Bieber.

Bon, je comprends mieux. Si le *lip dub* était réussi, c'est parce que la chanson lui plaisait. Je ne suis pas spécialement *fan* de Bieber moi-même, mais au moins, je me dis que ce n'était pas une foutue chanson de Noël deux mois avant l'heure.

Parce que, oui, je suis déjà repue de chansons de Noël! La coupe est pleine, merci bonsoir. Si la guignolée de Pierre-Jean-Jacques se poursuit encore la semaine prochaine, je crois que Magali Loiselle-Bienvenue aura réussi un véritable tour de force : me faire haïr Noël!

JOUR 10

Journée ennuyante et banale à l'école, aujourd'hui.

Après les classes, je rentre en bus avec Marie-Jeanne. Je vais chez elle. Je ne sais pas ce qu'elle lui a dit, mais il paraît que sa mère meurt d'envie de me rencontrer. Alors on m'invite pour souper, et même pour la nuit. En principe, vu que je passe les week-ends chez mon père, ça aurait causé problème, car il vient me chercher tous les vendredis soirs. Mais pas aujourd'hui, car mon paternel et sa nouvelle Jolène (Marie-Annick) passent le week-end à New York, sans moi. Les chanceux ! Les activités les plus excitantes ne me concernent jamais, on dirait.

Marie-Jeanne me fait visiter chaque pièce, comme une courtière immobilière. Comme si je voulais acheter son semi-détaché. Pas de danger : c'est encore plus triste et encore moins bien décoré que chez ma mère ! Ça frôle l'exploit !

En visitant sa chambre, je tombe nez à nez avec Justin Bieber. Justin en carton, entendons-nous. C'est un panneau grandeur nature qui tient tout seul, à côté de son lit. Justin sourit. On dirait qu'il a du *gloss* sur les lèvres tellement elles brillent. Marie-Jeanne sourit encore plus que son idole en carton. Elle m'avoue qu'elle l'a volé au Pharmaprix, pas très loin d'ici. C'est le panneau réclame pour son nouveau parfum *Girlfriend* (après le parfum *Someday*, que m'apprend mon amie fanatique).

– Ta mère trouve pas ça bizarre que t'aies ça dans ta chambre?

– Non, pourquoi?

– Elle doit se douter que tu l'as volé?

– J'espère! Elle m'a aidée à le voler.

– Quoi?!

Il me semblait aussi que Patricia, la mère de Marie-Jeanne, était une mère *funky*! Mon amie me raconte les circonstances fascinantes de leur petit crime. Sa mère et elle s'y sont prises à deux reprises pour réussir leur vol qualifié. La première fois, sa mère aurait fait une diversion en parlant à la madame des cosmétiques du Pharmaprix. La «subtile» Marie-Jeanne en aurait profité pour s'esquiver avec le panneau de Justin, mais aurait fait tout un vacarme. Elle aurait réalisé trop tard que le Justin de carton était attaché au comptoir des parfums par une chaîne de métal. Ça aurait été un pur ratage, ce que je m'imagine fort bien. Elle aurait tiré sur Justin sans comprendre d'où venait la résistance, jusqu'à faire bouger le comptoir de parfums, menaçant de faire tomber les précieux flacons chics. C'est qu'elle est forte, mon amie! Heureusement, elle aurait abandonné quand la madame des cosmétiques aurait crié et accouru, délaissant Patricia, la fausse cliente. Cette dernière aurait pris ses jambes à son cou, puis tiré sa fille hors de la pharmacie comme des bandits (des *bandites*?!) avant qu'on les fusille.

La seconde fois, une semaine plus tard, elles seraient revenues à la charge mieux préparées. Elles se seraient assurées que ce soit une autre employée qui soit de service au comptoir des cosmétiques, pour éviter qu'on les reconnaisse. Elles avaient tout prévu. C'était le crime parfait. Elles seraient arrivées équipées de deux sortes de pinces et auraient refait le même manège avec la nouvelle madame des cosmétiques. Patricia aurait de nouveau créé une diversion. Pendant ce temps, Marie-Jeanne aurait sectionné la chaîne avec les pinces. Elle a beaucoup de force dans les bras, cette fille !

Marie-Jeanne aurait donc réussi à délivrer le panneau réclame et aurait pris la fuite avec Justin sous son gros bras. Sa mère aurait quitté les lieux avec beaucoup plus de calme, voyant qu'on ne la suspectait de rien du tout. Tout se serait passé à merveille. Un vol qualifié de qualité. Sans bavure. Pas de bris, pas de sang, pas de larmes.

— Ça va faire deux semaines que Justin est ici.
— *Cool*. Il s'ennuie pas trop quand t'es pas là ? que je plaisante.
— Quand je vais à l'école, je lui enfile mes vêtements de la veille, pour pas qu'il s'ennuie de moi. Il adore mon odeur ! Hein, Justin ?

Elle lui tape l'épaule. Ça fait un son de carton. Le chanteur conserve son sourire parfait, mais un peu stupide sorti de son contexte.

— Sens mon cou.

Je le fais.

— Je sens quoi?
— Hum. Justin?
— Je sens sa *girlfriend*!
— T'as pas volé le parfum?!
— Non, quand même. Ça, je l'ai acheté. Je vole juste ce qui se vend pas.

Fiou.

— Essaie de trouver les odeurs de son parfum.
— Je suis pas bonne.
— Essaie!
— Hum… Tu sens les fruits.
— T'es bonne. Je sens une sophistication dragueuse (je sais pas c'est quoi) avec des notes de poire, de mandarine, de mûres, un cœur de rose freesia (je sais pas c'est quoi), du jasmin, du nectar d'abricot et de fleur d'oranger, de l'orchidée et du musc.
— Eh, *boboy*! C'est ben compliqué, ce parfum-là!
— C'est pour ça que ça coûte cher!
— Combien?
— 58 piasses sans taxes pour 50 ml.
— Eh, *boy*!
— Tu veux que je t'en mette?
— Je veux pas t'en voler. Un *pschitt*! doit coûter à peu près deux piasses!
— Ben non!

Marie-Jeanne prend sa petite bouteille rose et mauve et vaporise le parfum dans mon cou et sur mes poignets. Je sens bon la *girlfriend* de Justin, moi aussi.

Nous soupons devant la télé, ce qui est interdit chez moi. Patricia nous fait une énorme *batch* de spaghettis sauce tomate Heinz, gratinés avec des tranches de fromages Kraft orange. Ça me fait penser aux repas que je mangeais, enfant.

Je ne peux pas y échapper : nous regardons *M'as-tu vu ?*. Patricia et sa fille sont encore plus accros à l'émission que ma mère. Patricia, surtout, en est folle ! Elle y cherche sa fille partout, mais ne la voit nulle part, naturellement. Pas plus de trace de moi. On a droit toutefois à Magali et à sa bande, à Julien et à son nanisme, à Aïcha et à son voile, à Héloïse et à sa gêne, à Steven et à ses muscles. Surtout lui, torse nu. On dirait qu'il est encore plus musclé à l'écran. Marie-Jeanne et sa mère passent près de défaillir devant un tel amalgame réussi d'abdos et de biceps et de trapèzes et de mâchoire carrée et de tout ce que tu veux. Oui, je le leur concède, il est gâté par la nature et les heures au gym. Mais l'euphorie qu'il suscite dans les journaux et sur les réseaux sociaux me semble exagérée. Toutefois, et c'est sans doute grâce à lui, on annonce que la guignolée de l'école Pierre-Jean-Jacques a permis d'accumuler 2 248 $. Une somme énorme qui sera remise à des familles défavorisées « qui n'ont pas la chance de vivre un beau Noël comme tout le monde, là » dit Magali à l'écran, fausse comme René Angelil jouant dans un film québécois. 2 248 $?! Non, mais où a-t-elle trouvé tout cet argent ? Dans la poche de ses parents, sans doute ! Je n'en serais même pas surprise ! Magali est là, dans l'écran des Grosjean, souriant plus qu'il en faut, bronzée comme une calcinée rescapée d'un terrible incendie, avec son gros chèque devant les seins. Bravo, fille ! Avec ce parfait chantage émotif, le peuple québécois va t'aimer, et tu vas réussir à nous garder dans la course de cette téléréalité de caca. En tout cas, nous saurons lundi matin si les téléspectateurs sont sensibles ou non à l'opération séduction de notre leader montérégienne.

Sinon, pas de trace du cours de Charles. Pas d'extrait de sa scène avec la maniérée Magali. J'imagine qu'il y a une limite à faire des miracles en montage… Décidément, ce n'est pas demain la veille que notre doué prof d'art dramatique deviendra une *star* du petit écran !

M'as-tu vu ? finit par se conclure. On peut enfin passer à autre chose ! La soirée se passe comme un charme. On regarde un DVD du dernier spectacle de Louis-José Houde (grrrr, quel homme !). Patricia regarde le spectacle filmé avec nous, en nous servant des bols gargantuesques de *chips* BBQ. J'en pige quelques-unes. Marie-Jeanne et sa mère en avalent en continuité. Rituel machinal : main dans le bol, *chips* dans la main, main à la bouche, *chips* dans la bouche, mastication, avaler, main dans le bol, *chips* dans la main, main à la bouche, *chips* dans la bouche, mastication, avaler… Elles passent à travers deux sacs en entier.

– On fait ça juste le vendredi. Pis des fois le samedi. Pas plus, juré ! se défend Patricia.

– C'est pas vrai, Pat. Des fois, on triche aussi la semaine.

– Ben oui, mais on aime ça, les *chips*, Marie. On est de même.

– T'as raison. On est de même.

– Ça nous rend heureuses, ajoute Patricia en souriant à sa fille.

Marie-Jeanne sourit, mais je ne suis pas convaincue qu'elle est si heureuse que ça. En fait, ça m'amène à me poser sincèrement la question. Ma nouvelle amie est-elle heureuse ? Je crois que oui. Elle semble l'être en partie. En partie, comme tout le monde, j'imagine.

Je suis moi-même heureuse *en partie*. Sans *M'as-tu vu ?* et Magali-pas-de-E, par exemple, je me porterais mieux.

Nous finissons la soirée dans la salle à manger en engloutissant des chocolats et en jouant à *Fais-moi un dessin*. Il faut être quatre pour jouer, mais nous ne sommes que trois (Justin-en-carton ne veut pas participer, le lâcheur !). Patricia propose donc une nouvelle version : on dessine et on devine. On ne compte pas les points. Le seul but, c'est de s'amuser. Et d'admirer le talent de Marie-Jeanne qui, décidément, dessine divinement bien.

En allant me servir un verre d'eau dans la cuisine (j'en ai assez du Coke que mes hôtesses boivent comme de l'eau !), je remarque qu'il y a des taches mauves partout sur leur cuisinière, leur comptoir et dans l'évier. Même les murs beiges de leur cuisine sont tachés de mauve. C'est assez intrigant. Alors je questionne Marie-Jeanne et sa mère.

– C'est moi, la coupable! admet madame Grosjean.
– Patricia adore cuisiner du chou rouge.
– C'est vrai. C'est pas cher pis ça goûte bon. Hein, Marie?
– Elle fait des soupes à chaque deux jours. Quand ça bout, ça laisse des éclaboussures mauves partout autour.
– Pis je dois dire que j'ai jamais été trop, trop forte sur le ménage. Il me semble que les produits toxiques, ça pue. Je frotte un peu avec un torchon mouillé, mais ça parvient pas toujours à enlever les taches mauves…

Patricia est officiellement à des kilomètres de ma mère, qui s'oblige à récurer la moindre éclaboussure de sauce ou de soupe dès qu'elle se produit. Jolène ne tolérerait pas de vivre dans une cuisine parsemée de taches mauves comme celle-ci.

Nous nous couchons vers une heure du matin. Patricia aurait voulu qu'on reste plus longtemps debout, à veiller avec elle, mais mon amie est épuisée de sa journée. Elle a une mini-chicane avec sa mère.

– Restez donc encore un peu debout avec moi, les filles. On va jouer à un autre jeu!
– Non, Pat. On est fatiguées. On est allées à l'école, nous, aujourd'hui.

— Coudonc, Marie, on dirait que tu penses que je fais rien de mes journées.

— Tu fais quoi, au juste?

Cette discussion me met mal à l'aise. J'y apprends que Patricia est sans emploi depuis plus de deux ans, qu'elle est sur le bien-être social et qu'elle a de la difficulté à joindre les deux bouts. Elle passe ses journées à tricoter (elle fabrique des foulards et des tuques pour un petit commerce), mais aux dires de sa fille, ce n'est pas ça qui leur permet de vivre.

J'ai l'impression d'assister à une dispute entre amies, et non pas entre mère et fille. Car à mes yeux, c'est ce que Patricia et Marie-Jeanne sont: des amies. On est loin de la relation que j'ai avec ma mère!

De retour dans sa chambre, en jaquette, mon amie s'excuse pour sa mère.

— Elle a pas d'amis. Ça fait qu'elle voudrait devenir ton amie. C'est con, hein?

— C'est un peu triste, surtout.

— Ouin. Surtout.

— Je l'aime beaucoup, ta mère.

— Je l'aime, moi aussi.

Je dors dans le lit de Marie-Jeanne. Je ne suis jamais à l'aise de dormir ailleurs que chez moi ou chez mon père. Quand je vais chez ma tante ou chez ma grand-mère, je dors mal. J'espère que le sommeil sera bon.

– Je suis contente que tu sois là, Cybèle.

– Moi aussi, je suis contente.

En rabattant ses couvertures, je remarque qu'elle porte des chaussettes aux pieds.

– T'as froid aux pieds ?

– C'est les bas à Steven.

Sa confession me revient à l'esprit. J'éclate de rire et ordonne à mon amie de me montrer ses chaussettes. Elle le fait. Elle déplie sans grâce une de ses jambes et m'oblige à sniffer sa chaussette en m'effleurant le nez avec ses orteils. La chaussette de Steven est vieille et trouée, mais elle sent rudement bon.

– T'as remarqué ce que ça sent ?

– Non.

– *Someday*. Le premier parfum de Justin.

– Tu vides ta bouteille sur tes bas ?!

– Oui ! J'ai l'impression de dormir à la fois avec Justin et Steven.

– Oh. Je vais me tenir loin pour pas que tu me prennes en cuiller !

Nous rions un coup et éteignons les lumières. Derrière la porte, on entend les pas de Patricia dans le corridor. Elle a abdiqué et va au lit elle aussi. Le plancher craque longuement comme s'il était hanté ou que la chambre de Patricia se trouvait à l'autre bout du monde.

Rapidement, la lumière de la nuit filtrée à travers la fenêtre dépourvue de rideaux m'inquiète un peu. Elle crée des ombres étranges sur le panneau réclame en carton, qui semble être un tueur en série penché sur nous, avec un sourire de psychopathe. Dès qu'on s'endormira, Justin Bieber nous tuera.

Marie-Jeanne sent mon malaise. Elle se fait rassurante comme elle le peut.

— Aie pas peur, Justin veille sur nous.

C'est justement ça, mon problème.

SAMEDI (BONUS)

Ma mère vient me chercher vers neuf heures. Patricia dort encore. Marie-Jeanne me fait une toast au beurre de *peanut* que j'avale à la va-vite, pendant que ma mère klaxonne. J'écris « Merci pour la belle soirée, Patricia ! » au verso d'une facture de *chips* de Pharmaprix abandonnée sur la table. Mon amie trouve ça chic de ma part. C'est clair qu'elle l'adore, sa mère. Au même moment, la mienne s'impatiente et klaxonne de plus belle. Je soupire et quitte les Grosjean.

Jolène m'amène *faire les boutiques*.

Un *flashback* explicatif s'impose ici : jeudi soir, après avoir regardé *M'as-tu vu ?* et remarqué une fois de plus ma très visible absence, ma mère m'a annoncé une terrible nouvelle.

— Comme on passe le week-end ensemble, est-ce que ça te dirait que samedi, on aille faire les boutiques ensemble ? Qu'on regarnisse ta garde-robe ?

Pour ma mère, faire les boutiques, ce n'est pas ce qu'on entend généralement. Je sais ce qu'elle a en tête : l'Aubainerie, Hart, Walmart… Que des magasins à grande surface, avec un charme limité. Des boutiques cheaps, si vous voulez mon avis.

Jolène a une passion ravageuse pour les économies. Ça a toujours épuisé mon père, cette attitude. Il la trouvait un peu *cheap* elle-même, je pense. Comme ses boutiques favorites… Ça l'agaçait que ma mère achète en quantité industrielle des conserves de soupe de marque obscure et des tee-shirts à la coupe peu flatteuse, mais en rabais. La quantité a toujours eu le dessus sur la qualité, avec elle. Je ressemble plus à mon père. Moi aussi, je trouve son comportement devant les rabais un peu risible.

J'avais raison de craindre le pire. Car ce matin, dès qu'elle m'a cueillie chez Marie-Jeanne, c'est directement dans un Zellers qu'elle me traîne. Celui de la Place Alexis-Nihon, pour la vente de fermeture. On annonce jusqu'à 60 %, et même 80 % de réduction sur les prix courants. Toutes ces futures économies, ça fait saliver ma mère. Je vois presque de la bave au coin de ses lèvres, quand elle me fait part des pourcentages élevés de réduction sur les prix indiqués. Avant d'y aller, je prends la peine de lui demander le plus important :

— Mais qu'est-ce qui te manque, au juste ?
— Rien.
— On y va pour acheter rien de précis. C'est ça ?
— Inquiète-toi pas pour moi, Cybèle. Je vais ben trouver quelque chose dont j'ai besoin !

Un peu risible, oui. Ma mère ne veut rien de précis, mais sur place, elle veut tout… Elle est toujours comme ça. Je la connais bien.

Je pense spontanément à mon père. Il lui a toujours répété : « Si t'en as pas besoin, Jolène, tu l'achètes pas. C'est pas parce que ça coûte presque rien que tu te dois de l'acheter. » Je pense exactement comme lui. Je suis bien la fille de mon père.

J'accompagne ma mère à reculons. Elle m'y oblige, en fait. Elle appelle ça « une activité de filles ». Une activité de filles ? *Come on* ! Aller au Zellers un samedi après-midi, ce n'est pas une activité de filles. C'est un projet pathétique. C'est ce que je pressens dans l'auto, en route vers Montréal.

— Et puis ? T'as pas trop de peine de pas encore être passée à la *TV* ?
— Maman, je veux PAS passer à la télé.
— Ouin ouin, on dit ça…
— Je suis sérieuse. Je veux pas passer à la télé. Je trouve ça cave comme téléréalité.
— Je trouve ça drôle, moi. Je reconnais plein de monde… Plein de tes amis.
— Maman, ceux que tu vois, ce sont pas mes amis.
— Ben d'abord je vois plein de tes *collègues* de classe. Comme la petite Magali.

Entendre ma mère parler de Magali est encore plus fâchant que de me rappeler que je m'apprête à passer mon samedi matin dans un Zellers en liquidation. Jolène remarque que je hausse les sourcils.

— Tu la portes toujours pas dans ton cœur ?

– Non. Toujours pas.

– En tout cas, la caméra l'aime.

– Je dirais plus que c'est le contraire : elle aime la caméra !

Ma mère rit en me rappelant que tout le monde aime la caméra. Je soupire. Elle est désespérante quand elle dit ça.

– La caméra l'aime, mais pense pas que je la trouve plus belle que toi. T'es vraiment plus belle que Magali, ma chérie. T'en doutes pas, j'espère ?

– Maman, *come on*. Je suis pas conne. Je sais que Magali est plus belle que moi. Tu vas pas me briser le cœur si tu me dis ça.

– Mais je suis très sincère, Cybèle ! Elle est noire comme du charbon. Elle a l'air d'avoir la peau brûlée.

Je ris à mon tour. Ça me plaît que ma mère mentionne la peau brûlée au troisième degré de la ravissante Magali-pas-de-E.

Mais le plaisir, comme toujours, est bref. Ma mère se stationne de manière plutôt aléatoire dans un *parking* bondé, et me pousse vers la Place Alexis-Nihon en fredonnant quelque chose ressemblant à un cantique de Noël. *My god*, pas elle aussi !

Sur place, je change d'idée : c'est bien pire que pathétique. Le Zellers a des allures de *Boxing Day*. Pire : le magasin a carrément des airs de fin du monde. Les clients sont hystériques, s'arrachent pratiquement les objets des mains. Sur les étalages, il y a de grands rayons à moitié vides. Tout est rangé pêle-mêle, selon la folie du moment. Des clients se servent, puis abandonnent leurs trouvailles pour d'autres plus avantageuses. Car il faut préciser qu'il y a une criante pénurie de paniers. Presque paniqués à l'idée de manquer quelque chose de mieux, les gens circulent les bras chargés d'emplettes en solde. Je trouve ça infiniment triste. Mais ma mère est heureuse. Peut-être que la vieille rupture avec mon père, toujours pas complètement cicatrisée, résonne mieux dans ce décor chaotique, apocalyptique? Ou peut-être se sent-elle plus légère de ne pas avoir à se censurer, papa n'étant plus là pour lui dire de se calmer le pompon?

Puisque nous n'avons pas réussi à mettre la main sur un panier nous non plus, ma mère prend rapidement mes bras en guise de sac. Elle empile sur moi tout ce dont elle aura éventuellement besoin, un jour. Je joue le rôle rabat-joie de papa :

— Maman, penses-tu vraiment avoir besoin de ça?
— Pas pour le moment, mais un jour, oui. On se fait des réserves. C'est important, se faire des réserves, Cybèle. Tout d'un coup que la fin du monde survient, qu'on manque de vivres ou des affaires de même, han? Tout d'un coup? Tu vas être ben contente, ma petite fille, de m'avoir pour mère, si ça arrive. Contente que j'aie stocké tant d'affaires au sous-sol!

Je comprends un peu mieux la raison de ma présence. Je suis peut-être plus jolie que la brûlée Magali-pas-de-E, mais je ne vaux pas mieux qu'un panier d'épicerie ! En fait, je vaux rudement moins : je stocke moins de conserves et de vêtements !

— Fais attention de pas échapper ça !

Mais ma mère ambitionne (ce qui n'est pas surprenant). Elle me surcharge les bras. Résultat : le contenant en vitre de sauce à spaghetti tomates et champignons Ragù à 1 $ échappe à ma prise et éclate au sol, éclaboussant le prélart blanc cassé dans un fracas terriblement gênant. Les gens stoppent une seconde, me regardent un bref instant, agacés par le bruit, puis retournent à leur folie de faux *Boxing Day* avant l'heure.

Un homme s'approche de mon gâchis et me chicane. Il me somme de prendre un carrosse, pour éviter ce genre d'accident. Ce n'est pas clair clair s'il est un employé du Zellers ou un simple client. Ma mère ne s'en formalise pas et réplique très fort :

— Trouvez-moi un carrosse, pis on échappera pas notre stock !

L'homme ravale son mécontentement, comme pour se calmer devant le bagout de ma mère (il doit être un employé, finalement… et probablement celui qui devra nettoyer mon dégât). Il part en grommelant, sans doute en direction d'une vadrouille et d'un seau d'eau savonneuse. À la fois coupable et hypnotisée, je fixe la sauce répandue au sol, comme du sang épais, orange. Et des morceaux de vitre un peu partout…

— Reviens-en, Cybèle. C'est un pot de spag ; c'est pas la fin du monde.
— On va payer pour le pot, non ?
— Franchement ! Ça vaut juste une piasse ! On a juste à en prendre un autre. Mais échappe-le pas, celui-là.

Je tiens le pot férocement, comme si toute ma vie en dépendait. Je le tiens si fort qu'on jurerait que je m'exerce à broyer la main de Magali ! Ma mère me tire dans une autre allée, à la recherche d'autres aubaines qui lui apporteront un peu de bonheur. J'ai juste le temps de voir l'homme revenir avec un carrosse rouge, pour créer un espace de zone sinistrée au-dessus de mon accident de sauce à spag. Sitôt ses talons tournés, une dame vient voler le carrosse pour y laisser tomber tous ses achats. Ma mère a vu la chose, en émergeant de son allée pour venir me chercher.

— Merde. Elle a été plus vite que nous autres ! Cybèle, sois alerte ! Si tu vois un carrosse, saute dessus ! Voir si ça a de l'allure, manquer de paniers ! Pas bravo, Zellers !

Tout l'avant-midi ressemble à cette triste scène de film. L'activité de filles la plus nulle qui soit. Après un dîner dans le casse-croûte miteux du Zellers (qui aurait cru qu'un tel resto existait ? !), nous revenons dans notre bagnole sale. Maman conduit mal ; j'ai peut-être des chances de mourir en traversant le pont. À un moment donné, elle glisse brièvement sur la chaussée. Elle rit comme une petite fille en disant qu'elle serait peut-être due pour changer les pneus pour ceux d'hiver. Et sans transition aucune, elle cesse brusquement de rire. Elle pense à papa, j'en suis sûre.

— Avant, c'est ton père qui s'occupait de ce genre de chose…

Et vlan! J'avais raison. Pour la nostalgie comme pour les reproches, elle n'en manque pas une, ma mère.

Je tiens serrée la ganse du sac rouge posé sur mes cuisses. Un sac que j'aimerais pourtant larguer par-dessus bord. C'est qu'il s'y trouve un nouveau jeans et un chandail de laine, tous deux plus ou moins beaux, mais qui n'ont presque rien coûté à ma mère! «Une véritable aubaine qu'on ne peut pas laisser passer!» Je n'ai pas pu rouspéter. Elle les a achetés sans mon consentement. Et si je ne les porte pas, elle va me piquer une crise, je la connais. Dans le Zellers, elle était euphorique. «C'est fabuleux comment le vert du tricot fait ressortir tes cheveux roux!» Voyant mes sourcils froncés et dubitatifs, elle a insisté: «Le vert et le rouge sont des couleurs complémentaires! Elles vont magnifiquement bien ensemble. Comme Noël! Dans le fond, avec ce chandail-là sur le dos, tu vas évoquer Noël à toi toute seule!»

Dans la voiture qui menace de se jeter dans le fleuve à tous moments, c'est elle qui me sert la réplique la plus désespérante que j'ai entendue de la semaine : « Tu porteras ça, cette semaine ! Ça te donne tellement un air festif que je suis certaine que le caméraman pourra pas résister à te filmer en gros plan ! »

Eh, *boy*.

SEMAINE 3
JOUR 11

La guignolée de champions de Magali-pas-de-E semble avoir porté ses fruits : l'école Pierre-Jean-Jacques a survécu à la deuxième semaine de coupure. Le *lip dub* de la petite Mariloup Wolfe en herbe aussi a visé juste : l'Académie de la Sainte-Connaissance, dans les Laurentides, a également été retenue. C'est la polyvalente Mondoux-Jésus-Marie de la Sainte-Trinité de Montréal qui a été retranchée de la compétition. Sa représentante, la brillante et ennuyante Polonaise Natalia Surowaniec, ne semble pas avoir suffisamment attiré la sympathie du public. Je ne suis pas surprise outre mesure : dans les trois épisodes de *M'as-tu vu ?* que j'ai regardés la semaine passée, la future astronaute ne figurait presque jamais à l'écran. Il me semble que c'est injuste. Le temps d'antenne pour chaque école devrait être égal. Comment peut-on parvenir à charmer les téléspectateurs si on ne nous donne aucune chance ? Hein ? Je me le demande bien.

Mais suis-je surprise de cette iniquité de la part d'une telle téléréalité ? Poser la question, c'est y répondre.

*

— Est-ce qu'on peut lire *Hunger Games* à la place?

Ça, c'est une question stupide, sortie directement de la bouche stupide de Fanny. Monsieur Robillard soupire et brandit une des feuilles photocopiées qu'il a fait circuler.

— Oui, vous pouvez le lire *pour vous* avec plaisir. Mais ce que…ce que je vous demande de lire *pour le cours de français*, c'est une pièce de théâtre… une pièce de Michel Tremblay.
— Mais on vient déjà de lire des extraits d'un de ses romans.
— Oui. Et là, je vous demande de… de lire une œuvre en entier.
— Pourquoi pas *Hunger Games*? Je suis sûre que c'est plus long à lire qu'une pièce, en plus!
— Parce que… parce que… ben parce que c'est pas au programme. J'ai envie de vous faire découvrir d'autres œuvres que ce que vous connaissez. Vous sortir de votre zone habituelle… Vous comprenez? C'est entre autres à ça que ça sert, l'école. Vos désirs sont légitimes, mais ils sont paresseux. Comme… comme tous les désirs d'ailleurs.

Monsieur Robillard est toujours aussi poseur, toujours aussi conscient de la caméra, mais je dois lui accorder qu'il a raison sur la paresse des désirs des étudiants. Je suis contente de lire le théâtre de Michel Tremblay, moi. J'ai beaucoup aimé les extraits d'un de ses romans qu'on a dû lire la semaine passée.

– Alors voici… voici comment on va procéder. Vous vous mettez en équipes de deux. Vous lisez une pièce. Et au prochain cours, vous faites un exposé oral… un exposé sur… sur… sur la pièce que vous avez sélectionnée. Il y a 15 pièces pour les 15 équipes que vous… vous allez constituer. J'ai les 15 pièces que j'ai empruntées à la bibliothèque. J'en remets une par équipe.

– Mais là ! On va devoir lire dans le même livre ! se plaint un élève.

– Eh oui. C'est de même. Vous allez lire à deux.

– C'est pas pratique !

– Si jamais… si jamais on gagne *M'as-tu vu ?*, sans doute qu'on pourra regarnir les rayons de la bibliothèque d'autres exemplaires de l'œuvre théâtrale de Tremblay. Mais pour le moment, on a un livre par équipe de deux. D'ailleurs, vous pouvez dès maintenant former les équipes. Quand ce sera fait, vous choisirez votre pièce. Les premiers à choisir auront plus de choix que les derniers, je vous préviens.

Quand il oublie la caméra, monsieur Robillard perd son cafouillage et gagne en intelligence.

– Mais allez-y ! Vous attendez quoi ? Le Messie ?

Marie-Jeanne me regarde. Je lui souris, l'air de dire que oui, nous allons former une équipe ensemble. Je jette un coup d'œil à Maxime. Il me regarde, débiné.

– J'ai pas hâte de voir sur qui je vais tomber.

– C'est poche. On peut peut-être demander au prof de le faire à trois ?

– On est trente dans la classe. Quinze équipes de deux. Ça donne rien de demander.

Marie-Jeanne écoute notre discussion avec compassion.

– Mettez-vous ensemble. Ça me dérange pas de me mettre avec quelqu'un d'autre !

– T'es sûre ? que je demande avec surprise.

Marie-Jeanne, comme une petite fille qui voudrait me partager un secret, vient me chuchoter à l'oreille ses motivations. A-t-elle peur que Maxime la juge ?

– Sûre, sûre. Si je me mets avec toi, c'est certain qu'on me filmera pas, comme on est les deux au fond de la classe. Si je me mets avec quelqu'un d'autre que vous deux, j'ai peut-être des chances d'être enfin filmée ! Non ?

Sa logique est discutable, mais Maxime et moi acceptons de nous mettre ensemble. Même que je suis plutôt heureuse de me retrouver en équipe avec lui. Ça va me donner l'occasion de m'en rapprocher un peu. Nous collons nos bureaux. Notre pauvre amie Marie-Jeanne se retrouve avec Shany, puisque Fanny s'est précipitée la première sur Magali. Mais elle ne semble pas malheureuse, à la voir fièrement porter sa chaise et ses fesses à l'avant de la classe, jusqu'au bureau de Shany, bien à la vue de la caméra.

En voyant mon amie cheminer vers elles, Fanny lance à Magali suffisamment fort pour que je l'entende :

— Ha ha ! Shany est pognée avec Marie-Jeanne-Grosse-Jeanne !

Si je ne me retenais pas, je serais capable de lui faire avaler son pousse-mine mauve, sa gomme à effacer en forme de cœur, ses stylos roses, sa règle de One Direction, son liquide correcteur de la marque qui coûte cher, et tout le reste de son étui à crayons. Mais Maxime met sa main sur la mienne, voyant que je bous de rage. Ça me fait un drôle d'effet. Une petite décharge électrique me parcourt l'échine. J'en oublie presque l'insulte que vient d'essuyer mon amie.

— Bon, on prend quelle pièce ? que je lui demande, pour me donner une contenance.

Il parcourt la liste de l'œuvre théâtrale de Michel Tremblay. Il lit à mi-mot les titres des quinze pièces qu'a sélectionnées monsieur Robillard pour nous.

Les Belles-Sœurs, 1968
À toi, pour toujours, ta Marie-Lou, 1970
Demain matin, Montréal m'attend, 1972
(comédie musicale)
Hosanna, 1973
Bonjour, là, bonjour, 1974
Sainte Carmen de la Main, 1976
Damnée Manon, sacrée Sandra, 1977

Maxime me propose la comédie musicale à la blague. Je décline. Il n'est pas question que je me mette à chanter devant les autres. Je laisse ça à Magali. D'ailleurs, elle est la première à aller donner son choix à monsieur Robillard. Je suis certaine qu'il s'agit de *Demain matin, Montréal m'attend.* Je serais prête à gager tout mon avoir et à me lancer vive dans le feu comme une salamandre, sans brûler (oui, on a appris ça dans le cours de ce matin : les salamandres ne brûlent pas dans le feu!).

— Tout me va. Choisis, toi, que je décrète.
— OK. Je choisis *Sainte Carmen de la Main.*
— Ah oui, et pourquoi?
— Ma mère s'appelait Carmen.
— Pourquoi *s'appelait*? Elle a changé de nom? que je plaisante.
— Non, elle est morte.

Je vais dire comme ma mère : pas bravo, Cybèle.

*

Je passe la soirée chez Maxime pour préparer notre exposé oral. Pas question de gaspiller notre temps devant la télé. On a mieux à faire que de regarder *M'as-tu vu?*. Max me présente son petit frère. Il est pareil que sur la photo que j'ai vue à l'école : les mêmes yeux bridés, le même cou bref, le même sourire ravageur, totalement heureux. Antonin est absolument adorable. Dès qu'il me voit arriver, il se prend d'affection pour moi. Il m'appelle Cassandre et se vautre dans mes bras. Et il n'arrête pas de dire que je sens bon. Pourtant, je ne porte aucun parfum. Que mon odeur à moi.

— Lâche-la un petit peu, intervient Maxime.
— Non, ça va, que je lui assure.
— Mais laisse-la respirer, au moins.

Maxime m'explique la méprise. Si Antonin m'appelle Cassandre, c'est parce que je lui ressemble un tout petit peu. C'est une petite rousse, comme moi, que me dit Maxime.

Mon ami vit avec son père et son petit frère. C'est tout. Une petite tribu de gars. Cassandre, une jeune comédienne, a été dans la vie de son père pendant trois ans, mais ça s'est terminé il y a plus de deux ans. Maxime ne l'a pas revue depuis. Sa mère (Carmen) étant morte alors qu'il avait à peine six ans, il considérait Cassandre un peu comme sa mère. C'était encore plus vrai pour Antonin, n'ayant pour sa part aucun souvenir de sa vraie maman (j'ai fait le calcul, et j'en déduis que le petit avait un an seulement quand Carmen est décédée). Tout ça est terriblement triste.

— Tu t'ennuies de Cassandre?
— Pas mal, oui. C'est dur depuis son départ. Elle s'occupait beaucoup d'Antonin. Ils avaient un lien précieux. Moi aussi, d'ailleurs, je l'aimais beaucoup.
— T'as jamais eu de ses nouvelles?
— Non. Je l'ai cherchée une fois sur Facebook, mais elle y était pas. Je pense qu'elle joue dans un téléroman à TVA. Un petit rôle… Peut-être que je pourrais passer par eux. Je sais pas.
— Peut-être.

J'aimerais ne pas être curieuse, mais je le suis. Je pose la question qui me brûle les lèvres. Ma mère regarde beaucoup la télé; peut-être que je connais l'ex-belle-mère de Max!

— Dans quel téléroman elle joue?
— Hum. Je sais pas. C'est un ami de mon père qui lui a dit ça au travail.
— Si j'étais toi, je regarderais TVA, tu pourrais peut-être tomber sur elle.
— J'ai essayé. Mais tu sais, moi, la télé… Je suis comme mon père là-dessus: ça frôle le supplice. Il y a juste les Télétubbies qui jouent ici. Hein, mon beau Antonin? T'aimes ça, les Télétubbies, hein?

Son petit frère quitte momentanément des yeux l'écran où Po lui envoie un bisou juste pour lui. Il court vers Maxime déposer un bec mouillé dans son cou et retourne se recueillir pieusement devant la télé. Maxime regarde Antonin avec tendresse. Ça m'émeut beaucoup, le regard qu'il pose sur son frère. C'est à la fois fier et protecteur.

— En tout cas, c'est bizarre que Cassandre ait coupé les ponts comme ça avec vous, je trouve.
— Bof. Pas tellement bizarre, selon moi. Disons que mon père était intense avec elle.
— Intense dans quel sens?
— Il aurait voulu qu'elle soit comme Carmen. Qu'elle renonce à travailler pour s'occuper à temps plein de ses enfants. Ses enfants à lui, en plus. Qu'elle soit une vraie femme au foyer. Mais Cassandre était pas comme ça. Elle avait envie de mener une carrière.

Maxime devient pensif. Il a l'air vaguement triste.

— Elle a bien fait de partir. Mon père lui demandait trop de sacrifices. Elle était trop jeune pour s'occuper d'Antonin. Surtout que c'était pas son fils. Ouin. Elle a bien fait de partir.

Je ne sais pas quoi répondre à ça. Je suis triste pour lui. J'aurais envie de passer ma main sur la sienne, en signe de support moral, mais je ne sais pas si j'en ai le droit. Au lieu de ça, je fixe les quatre Télétubbies. Pour eux, la vie semble si simple.

— On se lit ça, Cybèle?

Maxime nous ramène à l'ordre. Je sors la pièce de Michel Tremblay de mon sac. Nous lisons *Sainte Carmen de la Main* à voix haute dans le salon. Son père n'est pas là (il fait du temps double à l'usine de plastique, comme ça lui arrive souvent), et la fascination d'Antonin pour les bonshommes aux couleurs pastel demeure intacte toute la soirée. Il est totalement captivé par eux, voire captif. Donc, lire à voix haute, ce n'est pas *trop* gênant. Je joue les rôles féminins (dont celui de Carmen) et Maxime se charge des rôles masculins (dont celui de Maurice). Parfois, le sexe du personnage n'est pas absolument clair. À vrai dire, plusieurs personnages s'avèrent des travestis. Maxime ne se fait pas prier et s'amuse à en jouer quelques-uns. Il est très drôle. En fait, je suis surtout impressionnée par sa voix. Une voix grave, mûre et riche. Je n'avais jamais réalisé à quel point mon voisin de pupitre est agréable à écouter. Pour être franche, la voix de Maxime m'envoûte peut-être autant que celles des Télétubbies envoûtent Antonin. C'est dire !

Nous terminons la pièce quelques minutes avant que le klaxon de ma mère retentisse dans la nuit fraîchement tombée. Il est 20 h 15 pile, et Monsieur Daneau n'est toujours pas de retour. Avant de partir, je passe tendrement la main dans les cheveux d'Antonin, supposé être au lit depuis un quart d'heure. Il comprend que je m'en vais et il me saute dans les bras violemment, espérant me retenir. Je passe près de perdre pied, tant son amour est féroce. Maxime est pris pour le tirer, mais Antonin s'agrippe tant que ses ongles m'écorchent les avant-bras.

Maxime le gronde et lui tape sur les doigts. Il est à la fois autoritaire, honteux et vigilant. Il me fait penser à une mère qui tente de contrôler son enfant turbulent dans un centre commercial.

Dans la voiture, ma mère voit les marques sur mes bras. Elle me questionne, inquiète.

— Mais qu'est-ce que c'est que ça?!
— Du calme, maman. Maxime a un chat.
— Et toi qui es allergique, en plus!

En route vers notre maison, je me force à éternuer deux ou trois fois, pour être crédible. Ma mère fronce les sourcils.

C'est confirmé: je ne suis pas une grande actrice.

JOUR 12

Sans que je ne lui aie demandé quoi que ce soit, Marie-Jeanne vient à mon casier me faire un résumé exhaustif de l'épisode de *M'as-tu vu ?* d'hier. En fait, ça ressemble plus à un plan par plan qu'à un résumé, son affaire ! Elle me dit tout : la déception flagrante de Natalia Surowaniec, ses larmes qu'elle n'aurait pu retenir, la scène où Aïcha aurait fait le poirier dans le cours d'éduc et où son hijab renversé aurait laissé voir une mèche de ses cheveux (ô révélation !), la qualité relative de la nouvelle chanson hip-hop de Mathieu Sauvignac (le jeune Haïtien de la Mauricie) écrite spécialement pour la téléréalité et qui s'appelle *M'as-tu vu ?* (ô surprise !), sans compter le plan rapide et rapproché où on verrait un double menton à Magali (oh que j'en doute !).

— Et avec tout ça, as-tu vu Shany pour lire la pièce hier soir ?

— Non ! Elle devait venir, mais elle m'a *chokée* ! Elle m'a appelée pour me dire de la lire toute seule et de lui passer la pièce aujourd'hui. Elle va la lire à midi, qu'elle dit.

— T'es fâchée qu'elle soit pas venue ?

— Non, je m'en fous. C'est plus Patricia qui est déçue. Elle se réjouissait à l'idée de rencontrer « une autre de mes amies ».

Elle fait des guillemets dans les airs, pour que je comprenne bien l'ironie. Ça me fascine à quel point elle appelle toujours sa mère par son prénom. Comme si elles étaient des amies.

— Vous avez pris quelle pièce, Shany et toi?
— Tu connais ma fascination pour les parfums?
— Vaguement, que je blague.
— Ben on a pris *Les Anciennes Odeurs*.
— Shany était d'accord avec ça?
— Elle aime sentir bon, elle aussi, qu'elle m'a dit.

Qui aime puer? Je me le demande bien.

— Je sais pas à quoi je m'attendais. J'espérais que ce soit une histoire de parfumerie, je pense.
— Pis c'est pas ça?
— Pas tellement. C'est un couple d'homosexuels qui se revoit trois ans après leur rupture. Ils veulent faire la paix, pis ils se rappellent des affaires de leur passé.
— D'où le titre, j'imagine.
— D'où le titre.
— C'est bon?
— C'est pas mal bon, ouin. Pis toi?
— On a pris *Sainte Carmen de la Main*, Maxime et moi.
— Pis c'est bon?
— C'est vraiment bon. Je l'ai lue avec Maxime chez lui hier soir.
— Wouhou! fait mon amie peu subtilement. Raconte.
— Ben il y a pas grand-chose à raconter. On a lu la pièce et je suis partie après.
— C'est tout?

— Il m'a aussi présenté son petit frère, Antonin. Il est vraiment charmant. Il m'a collée super longtemps.

On dirait que mon amie ne m'écoute plus, obnubilée par quelque chose ou quelqu'un derrière moi. Et soudainement, sans préavis, elle éclate de rire.

— Ha ha ha ha! T'es drôle, Cyb!
— Cyb?
— T'es tellement drôle!

Son rire est expansif, plus qu'à l'ordinaire. Et surtout, je ne comprends pas ce que j'ai fait ou dit de drôle. Son euphorie se poursuit, sans que je n'obtienne aucune réponse. Puis elle se tait abruptement, avec la même soudaineté qu'elle a commencé.

— Tu m'expliques, s'il te plaît?
— La caméra filmait vers nous. J'ai voulu capter l'attention. Un rire, c'est super beau à l'écran. T'as jamais écouté des *bloopers*? C'est contagieux, quelqu'un qui éclate de rire. Avec ce beau rire communicatif là, s'ils me diffusent pas à l'émission, je renonce. Y a toujours ben des limites!

Eh, *boy*. Pauvre Marie-Jeanne.

— Eille, Cybèle ! J'ai entendu dire que tu faisais la *split*.

C'est Magali-pas-de-E qui me communique cette rumeur débile, mais vraie.

— Oui, et ?
— Ben ce serait le fun que tu sois dans la choré. On s'en va au gym, là. Je veux une finale avec des filles qui font la *split*.
— Je peux pas, désolée. Je dois travailler sur notre exposé sur la pièce de Michel Tremblay.
— *Come on*. Il te reste une semaine pour le préparer.
— Peut-être, mais j'aime pas être dernière minute. Maxime non plus.
— En tout cas, penses-y. On présente demain midi pour que ce soit diffusé vendredi soir. Pour qu'on vote pour nous. Si tu viens, tu risques de passer à *TV*. Je dis ça pour toi.
— Mais j'ai pas envie de passer à la télé !
— C'est ça, ouin.

Elle lève les yeux vers les néons du plafond. Je ne dis rien. Je la regarde filer au gymnase avec sa cohorte de danseurs ridicules. Parmi eux, Shany et Fanny qui sont déjà en train de s'étirer les jambes en vue de faire un grand écart approximatif.

Cette semaine, pour épater la galerie, Magali concocte une grosse chorégraphie. Elle a commencé lundi, sur l'heure du midi. Elle n'a pas dû avaler le succès du *lip dub* de l'Académie de la Sainte-Connaissance. Elle veut contre-attaquer. Et elle a eu cette idée ultra «originale» d'une grande chorégraphie avec des gens de Pierre-Jean-Jacques «à l'aise avec leur corps». C'était ça, son critère de sélection. Je suis à l'aise avec mon corps. Je ne suis juste pas à l'aise avec son corps à elle !

Naturellement, Marie-Jeanne aurait voulu être dans la choré, mais Magali l'a refusée sous prétexte qu'elle manquait de coordination et de flexibilité. Tu refuses mon amie ? Eh bien je te souhaite un méga-*flop* dansé !

Marie-Jeanne, Maxime et moi mangeons notre dîner à l'écart. Mon amie se vide le cœur.

— Je regrette un peu de pas avoir demandé à monsieur Robillard de faire une équipe à trois avec vous deux. Je pense que me mettre avec Shany était la pire idée au monde. Elle a toujours pas lu *Les Anciennes Odeurs*. Elle passe ses temps libres dans la choré de Magali. Ça va être dur de préparer un exposé oral à deux si elle fait rien.
— Pourquoi tu t'es mise avec elle ? demande Max.
— J'espérais me rapprocher de la caméra. Shany est à l'avant. Je voulais être dans la mire du caméraman comme les autres…
— Attends, je comprends pas, Marie-Jeanne. C'est pas par choix que t'es au fond de la classe ? qu'il demande.
— Ben non, évidemment !

— Je pensais que ta mère était contre la téléréalité, comme nos parents à Cybèle et à moi.

— Ma mère?! Elle voudrait tellement que je passe à *TV*! Comme celle de Cybèle d'ailleurs!

Maxime fronce les sourcils et moi je veux disparaître sous la table de la café.

— Je comprends pas, dit-il en me regardant. Tu m'avais pas dit que tes parents avaient refusé de donner leur accord?

Marie-Jeanne me lance un regard désolé.

— Oups. J'ai fait une gaffe? me demande piteusement mon amie.

— Je m'excuse, Max. Je t'ai un peu menti. C'est vrai que ma mère a envie que je passe à la télé.

— Ben d'abord pourquoi t'es au fond de la classe? Pourquoi, en fait, *vous êtes toutes les deux* au fond de la classe?

— Ben moi, madame Provencher me trouve trop grande. Elle me place au fond pour pas que je cache personne.

— C'est un peu con.

— Ouin, hein? confirme Marie-Jeanne.

— Et toi, Cybèle? Tu mesures quoi? Cinq pieds? me demande Max.

— Cinq pieds un, que je corrige.

— Madame Provencher t'a quand même pas mis au fond de la classe pour éviter que tu caches du monde de 5 pieds 9!

— Non…
— Pourquoi d'abord? insiste Maxime.

Je dois lui répondre. Ça me demande tout mon courage.

— Parce que j'ai pas un physique *avantageux*.
— Parce que *quoi*? !

Eh, *boy*. Je ne vais pas répéter en plus. C'est suffisamment humiliant comme ça. Marie-Jeanne est une chic amie : elle répète pour moi.

— Elle a pas un physique avantageux. Selon madame Provencher, là! Pas selon moi. Si c'était de moi, Cybèle serait en avant de la classe.
— Mais c'est complètement ridicule!

Maxime semble très fâché. C'est très nouveau pour moi de le voir comme ça, alors j'ai le réflexe de prendre le blâme.

— Je m'excuse de t'avoir menti, Max. Je trouvais ça un peu humiliant d'avouer que madame Provencher m'a reléguée là pour… des raisons esthétiques, mettons.
— Mais elle peut pas faire ça! Non seulement elle a tort, mais c'est contraire à son mandat, c'est clair! Tes parents ont rien dit?
— Je leur ai pas dit.
— Il faut que tu leur dises! Il faut dénoncer ça, voyons, Cybèle.

— Je préférerais pas. Ma mère serait triste, mon père serait en colère…

— Pis il aurait raison de l'être ! Il me semble que tu peux pas taire ça. *Vous* pouvez pas taire ça…

C'est con, mais je ne peux pas m'empêcher de sourire de l'intérieur. Je l'ai bien entendu dire « Non seulement elle a tort… ». OK, ce n'est pas une déclaration d'amour à mon physique, mais c'est tout de même la preuve qu'il ne me trouve pas laide comme un pichou.

C'est déjà ça.

JOUR 14

Décidément, l'hiver est à nos portes. À la mienne en tout cas. Je sors du lit les doigts glacés. Je les réchauffe sur les touches du clavier de l'ordi de la maison. J'écris à Maxime sur Facebook pour m'assurer qu'il ne va pas oublier d'apporter *Sainte Carmen* pour le cours de ce matin. C'est un prétexte stupide juste pour le saluer, comme ça, sans raison réelle, avant l'école. Mais il n'est pas connecté. Alors j'en profite pour faire défiler les photos de son profil. Il y en a peu, donc je me permets de les détailler longuement. Deux d'entre elles présentent Maxime serrant Antonin dans ses bras. Je m'apprête à les *liker*, mais je réalise que je l'ai déjà fait. Eh, *boy*, que je ne suis pas subtile ! Je dois me tenir un peu trop avec Marie-Jeanne, aussi !

Je regarde ensuite mes photos. Des gros plans sur mes taches de rousseur et mon physique *peu avantageux*. En dessous de ces photos : pas de trace de *like* de Maxime Daneau. Peut-être que je me suis emballée pour rien, hier midi ? Ou peut-être que Maxime a d'autres choses à faire que de *liker* mes photos, lui ? Comme s'occuper de son frère, mettons. Ce serait hautement plus pertinent que mon activité matinale.

Ma mère me chasse de l'ordi en me rappelant que j'ai de l'école ce matin. Comme si j'étais du genre à oublier ça ! Je file prendre le bus et me retrouve encore à partager le siège d'Héroïque Héloïse.

— Trouves-tu que j'ai eu l'air ridicule, hier, Cybèle? Honnêtement, là?

— Je suis désolée, mais j'ai pas regardé.

— T'es sérieuse?! qu'elle me lance comme si j'étais une extraterrestre.

— Eh oui. J'ai pas regardé.

— Mais t'as le câble, non?

— Oui, je l'ai. Mais j'ai juste *pas regardé*.

— T'es bizarre.

D'accord, je suis bizarre. Et Héroïque Héloïse, elle, est la quintessence de la vulnérabilité. Un peu de dignité lui ferait le plus grand bien. On fait le trajet en silence, comme si le fait de ne pas regarder *M'as-tu vu?* m'enlevait tout intérêt à ses yeux. Tant pis.

Marie-Jeanne est déçue, ce matin. De son beau rire communicatif devant les casiers, mardi matin, on n'a rien vu, rien entendu à l'émission d'hier soir. Rien du tout. Il semblerait qu'on ait préféré dresser le portrait de Julien, le fils des mamans lesbiennes. Le portrait se serait fini par les deux mamans de Julien venant le chercher à la fin des classes. Des mamans «très normales et très bonnes pour moi, comme toutes les autres mamans», aurait dit le nain de secondaire 1. Une autre façon de gagner des points.

Dans le cours de français, avant de nous laisser travailler sur nos exposés oraux de jeudi prochain en équipe de deux, monsieur Robillard nous interroge sur l'extrait de roman que toute la classe a lu (ou est censé avoir lu), soit *La grosse femme d'à côté est enceinte* de Michel Tremblay.

Il pose une question qui reste sans réponse. La réponse me semble évidente, mais personne ne lève la main. C'est à croire que personne n'a lu l'extrait. Il cherche mon regard dans le fin fond de la classe, comme s'il cherchait une bouée pour l'empêcher de sombrer. Sombrer dans le silence de la classe. Un silence lourd comme mon amie Marie-Jeanne.

– Cybèle, tu connais la réponse ?
– Oui, je la connais.

Le caméraman cherche à capter mon visage. Il ne doit pas y arriver, parmi la mer de têtes adolescentes plus belles et plus grandes qui me cachent. Un long temps. Mon professeur revient à la charge.

– Et… peux-tu… peux-tu… nous faire part de cette réponse ?
– Et pourquoi je ferais ça ?

Je le fais balbutier plus qu'à l'habitude. Je le désarçonne et j'adore ça.

– Mais pourquoi… pourquoi tu ne donnerais pas la réponse… puisque tu… tu la connais ?

Je jette un coup d'œil rapide à Maxime pour me donner du courage.

— Parce que ça me tente pas. On m'a reléguée au fond de la classe. Je ne me sens plus concernée par le cours. Désolée. Demandez à quelqu'un d'autre devant vous.

Mes collègues murmurent des choses inaudibles. Une rumeur circule.

— Cybèle, je… hein… je te prierais quand même de… ben de…de demeurer polie.

— Mais je suis hyper polie, monsieur Robillard. Je viens à tous mes cours. J'en ai pas raté un depuis la rentrée. Je suis toujours à l'heure et mes devoirs sont toujours impeccables. Mieux : même si vous rendez pas le cours passionnant avec votre petit problème de langage, je vous écoute avec la plus grande attention. OK, je ne réponds plus à vos questions comme je le faisais en septembre, avant que *M'as-tu vu?* débarque dans l'école, mais il faut pas m'en vouloir pour ça. Ça s'explique bien. Vous avez pas bronché une miette à l'idée de me mettre dans le fond de la classe, comme une figurante moche à l'émission *La Fureur*! Je vois pas pourquoi je vous ferais une fleur en répondant à vos questions restées sans réponse.

Je ne suis pas sûre de la partie où je parle de *La Fureur*, qui est une émission vieille comme le monde, mais en gros, je suis fière de ma répartie. Et je ne suis pas la seule. D'un côté, Maxime lâche un petit rire, alors que du sien, Marie-Jeanne me lance des regards admiratifs, bouche béante, comme si j'étais rien de moins que son idole. Mon professeur, lui, ne sait visiblement pas comment réagir. Il regarde autour de lui, interloqué. Quand il constate que la caméra de *Cool comme tout!* tourne toujours et qu'elle est en train d'enregistrer toute l'étendue de son malaise, il s'oblige à prendre une décision surprenante.

– Cybèle, va au bureau de la directrice. Tout de suite.

Pas de balbutiement. Que des mots lâchés sèchement. Un ton catégorique qui m'étonne, mais qui vaut un peu mon respect à mon professeur, malgré tout. Parce que oui : j'ai été impolie. Je me mords l'intérieur des joues, mais me lève dignement. L'œil de la caméra est braqué sur moi. Je l'ignore. Je ne faiblis pas. Je sors de la classe la tête haute, devant le respect presque sonore de Maxime et de Marie-Jeanne, mes alliés de fond de classe.

Quand je passe près d'elle, je remarque que la mâchoire de Magali s'est décrochée. Elle gobe des mouches, tellement elle est impressionnée par moi.

Elle n'est pas belle à voir.

*

Sur l'heure du midi, Maxime et moi sommes pratique-ment seuls dans la cafétéria. Presque toute l'école est au gymnase pour applaudir la chorégraphie créée par Magali. Même Marie-Jeanne a succombé à sa curiosité de voir le travail effectué sans ses services de danseuse.

Maxime m'inonde de bravos. Je suis rouge tomate et je m'en veux un peu d'avoir dit ça à monsieur Robillard. Je comprends bien que mes répliques cinglantes avaient pour but d'impressionner mon partenaire d'exposé oral. Et même si ça a fonctionné, je ne suis pas fière de moi. Ce ne sont pas les remontrances prévisibles de madame Provencher qui m'ont fait me sentir mal. Ses « ça ne te ressemble pas… » ou « ce n'est pas digne de toi… ». Non. Les mots de ma directrice ne m'atteignent pas du tout. Mais j'ai suffisamment de jugement pour m'avouer que je n'ai pas été chic avec mon prof au calme fragile.

— Vraiment, Cybèle, je pense que t'es mon idole !

Les mots sortent de la belle bouche de Maxime. Alors je suis l'idole du gars le plus charmant de mon école ?!

OK. Je retire ce que j'ai dit.

Insulter monsieur Robillard, ça valait le coup !

JOUR 15

Je ne regarde pas l'émission. Il en est hors de question. Non. Je ne regarderai pas l'émission, bon. Aucune envie de voir la chorégraphie racoleuse, tape-à-l'œil, qu'a créée ma rivale. Aucune envie de comparer la netteté de ma *split* avec celle de Shany et de Fanny. Je vaux plus que ça. Je suis l'idole de Maxime Daneau, alors je suis mieux de me tenir loin de la télé, question de mériter mon titre.

Je me force à ne pas regarder si je serai dans l'épisode de ce soir. Si ma tirade envoyée à monsieur Robillard avec plus de conviction et de ferveur que possède Charles, mon prof d'art dram, sera diffusée ou non. De toute façon, je peux assurément compter sur ma mère pour crier, depuis le salon, si je crève l'écran devant elle.

Et puis j'ai des choses à faire. Comme terminer ma petite valise pour le week-end chez papa et Marie-Annick.

À 19 h 07, je reçois un appel. C'est Marie-Jeanne, extatique, au bout du fil.

— T'es à l'écran, Cybèle !
— Hein ?
— Tu fais quoi, là ?
— Ma valise pour le…
— Mets ta *TV* à *Cool comme tout!*! qu'elle me coupe. Vite !

— Est-ce que je passe dans *M'as-tu vu* ??
— Déguidine, Cybèle !

Merde ! Pourquoi ma mère ne m'a pas crié de descendre ? Elle a honte, ou quoi ? Je descends les escaliers à la course en direction de la télé du salon, convaincue que je ne serai plus à l'écran une fois rendue au port. Je vais m'être ratée, évidemment...

Eh bien, non. Je suis là, devant moi, dans le salon. Je me vois sur notre télé 48 pouces. OK, je suis en partie cachée par quelques élèves devant moi, mais on me distingue clairement. La caméra zoome même sur mon teint de pinte de lait, mes cheveux carotte brunie vaguement coiffés. Non, mais j'aurais pu faire un effort, ce jour-là !

Ma répartie, par contre, est surprenante. Je m'entends dire : « même si vous rendez pas le cours passionnant avec votre petit problème de langage, je vous écoute avec la plus grande attention... » Je me vois débiter mon fiel trop longtemps contenu, puis on me voit plan taille. Ma camisole un peu trop moulante met en relief de légers bourrelets naissants à ma taille. OK, ils sont subtils, mais ils sont bien visibles ! Ce n'est pas tout. Gros plan sur les taches de rousseur de mon nez, qui débordent sur mes joues empourprées par ma soudaine prise de parole enflammée. Le grain de ma peau autant que mon tour de taille cause ma ruine. Je maudis notre télé HD !

Ma mère entend ma voix depuis la salle de bains. Elle accourt en criant : « Non, mais torbinouche que j'ai mal choisi mon moment pour aller faire pipi ! Dis-moi que c'est pas toi à la *TV* ! Dis-moi que c'est pas toi ! »

— Désolée de te décevoir, mais c'est moi, maman !

Elle trépigne autour de moi, euphorique, comme si elle venait de remporter le gros lot ou que mon père venait de lui annoncer qu'il laissait son autre Jolène (Marie-Annick) pour revenir avec elle. Elle se met à pleurer un peu. Elle en fait trop, comme toujours.

— T'es tellement belle à l'écran !

C'est ça, oui. Tu en parleras à madame Provencher, de ma fracassante beauté télégénique !

Une fois mon segment théâtral terminé, le téléphone ne dérougit pas. Au cours de la demi-heure suivant la diffusion, ma tante France, ma tante Julie, mes grands-mères maternelle et paternelle m'appellent toutes pour dire qu'elles sont fières de moi et qu'elles m'ont trouvée jolie.

Marie-Jeanne me rappelle : « Câlique, c'est tout le temps engagé chez vous ! Toute la province t'appelle, ou quoi ? Tu vas devenir une vedette pis tu voudras plus me parler, c'est ça ? Eille, tu m'as-tu vue ? ! À *TV*, je veux dire ? Quand tu te lèves, la caméra m'a filmée, moi aussi. Je te regarde la bouche ouverte ! J'ai l'air très expressive.

Patricia trouve que je ressemble à une actrice, comme ça. Trouves-tu, toi? Hein, Cybèle? Ça faisait un peu actrice, mon affaire, non?»

Non, je n'ai pas remarqué. Et non, je ne pense pas que ça fait spécialement actrice. Je ne dis rien de ça. Je dis seulement ce qui m'a le plus frappé : que je suis énorme à la télé. Marie-Jeanne me sermonne.

– *Come on*! T'es minuscule! Si ça peut te rassurer, je trouve que j'avais l'air plus grosse que toi à l'écran.

Ça me rassure. Il n'y a pas à dire. Eh, *boy*.

Peu après la fin de l'émission, avant que papa vienne me chercher, ma mère reprend peu à peu ses esprits et me demande ce que je craignais, soit pourquoi je suis reléguée au fond de la classe. Je choisis d'être vague.

– Je ne sais pas trop. Ma directrice parlait de reconfiguration spatiale, ou une affaire de même.
– Mais c'est pas logique : t'es toute petite. Tu mérites d'être à l'avant, il me semble!
– C'est pas la première chose pas logique à survenir dans nos vies, maman.
– Vu de même.

Ma mère semble satisfaite en partie de ma réponse. Tant mieux. Je ne peux pas envisager le tollé que ça ferait si mes parents apprenaient que madame Provencher me place en retrait pour des questions de *télégénie*.

Mon père arrive vers 20 h 15. Ma mère, mi-agressive, mi-heureuse, lui ouvre la porte en clamant : « Je sais que tu t'en fous, mais *ma* fille est une vedette de la *TV*! »

DIMANCHE (BONUS)

— Votre savon laisse des résidus d'herbes sur les mains, on dirait.

C'est Marie-Jeanne qui décrète ceci, alors que nous sommes seules dans ma chambre *d'invitée*.

— Oui, c'est un savon dispendieux à Marie-Annick. Il sent super bon. Ça me surprend que t'aimes pas.
— J'ai pas dit que j'aime pas. C'est juste spécial. Mais c'est vrai qu'y sent bon.

Mon amie se sent les mains longuement.

— Ma belle-mère aussi aime sentir bon ! que je remarque.
— Et elle a la voix de la belle-mère de Cendrillon. Elle a l'air d'être méchante.

Je pouffe de rire.

— Elle est super *smatte*, Marie-Annick. Elle a juste une voix avec des nodules.
— Je suis sûre qu'elle est fine. Je dis juste que sa voix lui donne un air de pas fine.

Je passe la journée avec mon amie chez mon père et sa nouvelle Jolène. Il a accepté d'aller la chercher (sa mère, Patricia, n'a pas de voiture…). Si Marie-Jeanne trouve que la voix de Marie-Annick fait peur, elle considère aussi que mon père parle bien, voire trop bien. Elle juge qu'il nous faudrait un lexique pour saisir tout ce qu'il dit. Je trouve qu'elle exagère, mais il y a un fond de vrai. Mon père est écrivain, ce n'est pas pour rien. Il a tendance à utiliser des mots surprenants et méconnus. On pourrait trouver ça prétentieux. Moi, je trouve ça inspirant. Mon père a toujours pris soin de ne pas être comme les autres, et c'est tout à son honneur. Il choisit le mot *mélancolie* plutôt que *tristesse*, *enjouement* plutôt que *plaisir*, *alambiqué* plutôt que *compliqué*, *alangui* plutôt que *veg*, et *écervelée* plutôt que *petite conne*. Devant lui, j'aime le copier et traiter la *leader* des 3e secondaire de petite écervelée. J'ai l'impression d'être digne dans ma *bitcherie*. Ou dans ma *sympathique mesquinerie*, comme le dit mon père.

— J'arrête pas de penser à ça, pis je pense que tu devrais porter plainte contre Magali. Ça se fait pas, écrire ce qu'elle t'a écrit. C'est de l'intimidation. On pourrait la mettre en prison pour ça.

Marie-Jeanne regarde beaucoup trop la télévision. Elle fait référence au message haineux que notre rivale m'a envoyé sur Facebook. Et elle n'est pas la seule ! Certains des plus violents compétiteurs de l'école ont soutenu Magali en m'écrivant que ce n'était pas légal de faire ce que j'avais fait. Que c'était ni plus ni moins que du *salissage* de réputation d'école. De la *calomnie*, dirait mon père, s'il était au courant. Mais il ne l'est pas. Je garde tout ça pour moi.

Hier, j'ai passé la journée à gérer mon compte Facebook. Bon nombre de gens de mon école m'ont félicitée, mais parmi eux, quelques-uns m'ont fait des menaces. Magali-pas-de-E a été la première à me livrer le fond de sa pensée :

« Mais pour qui tu te prends ?! T'es conne ou quoi ?! Tu fais passer Pierre-Jean-Jacques pour une école pleine de préjugés ! Tu manques vraiment de sentiment d'appartenance, toi ! Je t'avertis, *si belle* Cybèle, si on ne se rend pas en finale à cause de toi, tu vas payer cher ! »

Ce mot cave, je l'ai fait lire à Marie-Jeanne. Elle l'a trouvé cave elle aussi. Si j'étais tout à fait bien élevée, je le qualifierais d'écervelé. Dommage que je ne le sois pas ! Je le qualifie de cave, seulement. D'autres ont renchéri, désapprouvant mon attitude qui pourrait nuire à la victoire de notre école. Tant pis ! Que la vérité éclate au grand jour ! Je ne leur dois rien.

Néanmoins, je ne dis rien de tout ça à mon père et à ma mère. Ni à Marie-Annick, même si elle est très *cool*. Marie-Jeanne est mon unique confidente, et elle remplit sa tâche à merveille. Je veille à en faire autant avec elle. C'est de même que l'amitié fonctionne, il me semble. Je dis ça, mais il est vrai que je ne suis pas une experte !

— Et avec Shany, ça va comment ?
— Vraiment pas si pire, étonnamment !
— Tu me niaises ?

— Non, pantoute. Elle est *smatte*, quand même. Elle est venue chez moi hier pour préparer l'exposé oral. J'étais sûre qu'elle allait être super froide et méprisante, genre. Mais non. Elle était ben correcte. Elle avait lu la pièce…

— Quoi? Elle avait lu la pièce?!

— Je te jure. Je l'ai questionnée. Pour la piéger, comme. Mais elle avait vraiment l'air d'avoir lu la pièce.

— *Wow.*

— On a choisi l'extrait qu'on va jouer jeudi. Pis on s'est partagé les parties. On a fini à cinq heures, ça fait que Patricia l'a invitée à souper avec nous.

— Elle a dit non, j'imagine?

— Non! Elle a accepté!

— Ben voyons.

— Je te jure. Pat avait préparé une grosse soupe au chou rouge…

— Pour faire changement…

— Shany a dit qu'elle trouvait ça super bon.

C'est con, mais je suis comme un peu jalouse de la nouvelle complicité entre Shany et mon amie. Et pourtant, je n'ai pas vraiment envie d'être proche de Shany. Mais c'est étrange : ça me dérange, on dirait.

— Coudonc. Avez-vous passé la soirée ensemble en plus?

— Non, quand même pas. Elle avait son cours de violon du samedi soir.

— Elle joue du violon?

— Oui. Elle est vraiment surprenante, cette fille-là.

– Moi qui pensais qu'elle avait autant de personnalité qu'une fougère, que je dis.
– Ben non.
– Ben tant mieux.

Tant mieux, oui. Bravo pour son talent de musicienne. Je joue de rien, moi. Mais je suis sûre que ma *split* est plus belle que la sienne !

– Faudrait peut-être que je demande à ton père de me ramener chez moi ? J'ai pas trop les moyens de me payer un taxi…
– Pourquoi tu veux partir si vite ?
– Ben je veux pas déranger. Je suis là depuis à matin.
– On s'en fout. Reste à souper ici ! Mon père vient me reporter chez ma mère à huit heures. Viens donc dormir chez moi. T'as pas encore dormi chez moi !
– Non, mais demain on a de l'école.
– On s'en fout. T'embarqueras dans mon bus. Ça va être drôle.
– J'ai pas de vêtements propres pour demain.
– On a juste à passer en chercher chez toi.
– Hum… OK. Je vais demander à Patricia.
– *Yeah* !

Marie-Jeanne va dormir chez moi, ce soir. C'est la première fois depuis des lunes que j'invite une amie à dormir à la maison. Ma mère va vouloir, c'est sûr.

Vlan dans tes belles dents blanches de violoniste, Shany Malenfant ! Tu ne me voleras pas ma meilleure amie !

SEMAINE 4
JOUR 16

C'est un peu comme si j'avais une promotion, ce lundi. Madame Provencher m'offre un pupitre à l'avant dans chacun de mes cours.

— Je croyais que tu allais apprécier être au fond de la classe. Les jeunes aiment ça, y être, habituellement. C'est pratique pour passer inaperçu et faire de mauvais coups. Mais bon, si tu as envie d'être vue, je n'y vois pas d'inconvénient. Tu réintégreras une place à l'avant dès ton prochain cours. T'es heureuse ?
— Je peux rester au fond. Ça me va de passer inaperçue.
— Trop tard. Tu t'es plainte devant la caméra. Tu me donnes pas trop le choix.

L'école Pierre-Jean-Jacques a bien sûr survécu à une semaine de plus. Sinon nous aurions tous spontanément réintégré nos places initiales. Mais non : *M'as-tu vu ?* se poursuit encore pour nous. Ne reste plus que deux écoles : L'Académie de la Sainte-Connaissance et notre polyvalente. Nous sommes donc finalistes. C'est la frénésie à l'école depuis ce matin à cause de ça.

C'est le Séminaire des Pères Lachaise et Laporte qui a été éliminé, juste avant le dernier sprint de la téléréalité.

Mathieu Sauvignac, le rappeur au talent très fragile, n'est pas parvenu à charmer les téléspectateurs avec sa dernière composition aux rimes douteuses, diffusée vendredi passé, peu après ma sortie théâtrale du cours de français.

Voici d'ailleurs les paroles de la chanson *Hymne mauricien*, retrouvée sur le site internet de *Cool comme tout!*.

Hymne mauricien

Au Séminaire des Pères Lachaise et Laporte
On sait ce que la connaissance nous apporte
On ouvre nos cahiers, on recopie la leçon
Réussir ses études, c'est bien la seule solution.

Au Séminaire des Pères Lachaise et Laporte
Ça ne nous arrive pas de claquer la porte
Nous préférons la garder grande ouverte
Que pénètre le savoir dans nos paumes offertes (oh, *boy*, quand même!).

Quoi, M'as-tu vu?? *Tu mets ma Mauricie sur la mappe?*
C'est grâce à Mathieu Sauvignac qui vous le rappe (non, mais il se prend pas pour un 7 up!)
Je viens d'Haïti et je suis débarqué ici en Mauricie
Je suis un des vôtres, sur mon cœur c'est écrit.

C'est notre Séminaire qui va gagner c'est sûr
Nous on est nés pour la gloire et pour la luxure
On va triompher parce qu'on est l'école la plus forte

C'est dans notre bois de chaise, dans notre bois de porte!

Peace, Respect.

Euh? «Nous on est nés pour la gloire et pour la luxure»? La luxure? Vraiment? Son texte n'est pas à une incohérence près. D'ailleurs, n'avait-il pas dit dans son portrait la première semaine qu'il était né ici, au Québec, et non en Haïti? Il a remanié la vérité pour donner plus de poids au vers de sa chanson, j'imagine. Pour qu'on vote pour eux. Mais ça n'a pas marché. *Just too bad.*

Pour une fois, on dirait que le public a fait le bon choix. Quoique je n'aie rien dit du *lip dub* de l'Académie et de la choré tapageuse de Pierre-Jean-Jacques. Disons que les téléspectateurs nageaient dans un réel désarroi! Disons plutôt que l'hymne rappé de Mathieu Sauvignac n'a pas été suffisamment percutant pour être digne d'avoir une place en finale. Les téléspectateurs ont préféré le nouveau *lip dub* archi ennuyant effectué par Julie-Anne Guillemet-André et les siens, et la chorégraphie à grand déploiement de *splits* malhabiles orchestrée par Magali-pas-de-E.

Je me demande bien ce que Julie-Anne concoctera pour son école, mais surtout ce qu'a prévu l'impitoyable Magali pour la nôtre. Les deux plus grandes compétitrices de l'émission en finale! Ça risque d'être enlevant!

Je me retrouve donc à l'avant, dans le cours de français. Tout près de Magali-pas-de-E et de sa fade Fanny.

Shany-la-violoniste-qui-voudrait-donc-ben-me-voler-ma-*best-friend*, elle, s'est proposée pour prendre ma place, étant donné qu'elle prépare un exposé avec Marie-Jeanne. Je me sens constamment filmée par la caméra. Je ne trouve pas la façon d'être relâchée et naturelle. Et surtout, je m'ennuie de mes voisins de fond de classe, séparés par la violoniste-voleuse-d'amis. Avant le cours, Marie-Jeanne et Maxime se sont tous deux mis d'accord pour décréter que madame Provencher est hypocrite de me remettre à l'avant. Je suis bien de leur avis.

Pendant tout le cours, Magali m'envoie de furtifs regards haineux. Si elle pouvait, elle me brûlerait à coup de torche olympique. Ma présence à l'avant l'incommode très certainement. Dès que le cours se termine, elle me pousse dans les toilettes des filles (endroit neutre où les caméras n'épient pas ses moindres faits et gestes) pour me parler dans le casque : « Tiens-toi tranquille, Cybèle Campeau-Grégoire. Ma splendide choré a sauvé ta réplique de jeudi passé. Pierre-Jean-Jacques a pas été coupé grâce à moi. Mais fais attention. Si tu recommences, je te dis pas ce que je fais avec toi. C'est peut-être la chance de ma vie, ça. Je vais pas laisser une petite conne me gâcher les chances de percer dans ce métier-là ! »

Sans commentaire.

JOUR 17

Ma réclusion de fond de classe a changé ma vie. Ma nouvelle amitié pour Marie-Jeanne et Maxime me fait beaucoup de bien. On dirait que je réalise mieux tout ce que je manquais, avant.

De retour à l'avant dans tous les locaux, je m'emmerde. Je suis prise pour toujours me casser le cou quand je veux échanger un regard complice avec l'un ou l'autre de mes amis. Mais je vais m'y faire, j'imagine.

Ce n'est pas avec Magali que je pourrais échanger des regards complices. Chaque fois que mes yeux tombent sur sa belle personne bronzée, elle me fusille du regard. Comme s'il m'était interdit de la regarder. Eh, *boy*. J'ai hâte que ce soit fini, cette téléréalité-là!

D'ailleurs, c'est étonnant, mais Magali ne semble pas partie pour conclure sa participation à *M'as-tu vu?* de manière fracassante. La connaissant, j'aurais cru qu'elle aurait terminé la dernière semaine avec un projet saisissant pour les téléspectateurs. Mais non. Magali-pas-de-E Loiselle-Bienvenue a elle aussi ses limites!

Elle aurait voulu faire un court-métrage sur l'histoire de notre polyvalente, de la fondation en 1976 à aujourd'hui, mais il paraît que c'est tombé à l'eau, faute de temps. Elle aurait aussi tenté de créer un gros téléthon pour la fibrose kystique ou un truc comme ça, mais ça semble être mort dans l'œuf. Je crois que les élèves de Pierre-Jean-Jacques sont essoufflés par les dernières semaines, et surtout fauchés par la guignolée de champions d'il y a deux semaines. Il y a des limites à être généreux quand on n'a pas d'argent!

Si tout va bien, Magali se verra désolée de ne rien présenter de spécial pour la finale de vendredi soir. Et si tout va comme je le pressens, Julie-Anne Guillemet-André, elle, aura préparé, pour l'Académie de la Sainte-Connaissance, quelque chose de sidérant. J'espère seulement que ce ne sera pas un troisième *lip dub*. Il y a des limites à recycler de vieilles affaires!

En tous les cas, ce qui risque d'arriver, c'est que les téléspectateurs soulignent le travail de Julie-Anne, plus imposant que celui de Magali, et que lundi prochain, ils fassent gagner l'autre école plutôt que la nôtre.

Magali-pas-de-E sera inconsolable. Elle ne prêtera pas son nom laid à notre bibliothèque. Et l'univers entier s'en portera mieux. Moi la première.

JOUR 18

Je suis tout énervée : Maxime vient à la maison pour finaliser la préparation de notre exposé oral de demain. Il n'a pas à garder Antonin ; son père est à la maison ce soir. Il peut donc venir chez moi. C'était sa proposition. Il sera ici sous peu, dans le lieu de mon enfance, dans *ma* cuisine, dans *ma* salle à manger, dans *mon* salon, dans *ma* salle de bains, dans *ma* chambre… Je renie alors certains choix de décoration de ma mère. Pourquoi a-t-elle choisi cette couleur vive pour les murs ? Pourquoi avoir acheté cet affreux vase à la forme impossible ? Surtout pourquoi le mettre à la vue de tous les invités, au centre de la table ? J'ai envie de tout réaménager pour que ma maison plaise à Maxime. Envie de cacher ce vase laid et de repeindre les murs de ma chambre de sa couleur préférée. Mais je n'en fais rien, évidemment. De toute façon, je ne sais même pas quelle est sa couleur préférée !

Au téléphone, avant de venir, il me demande si on a une Wii. Oui, on en a une. Celle que mon père avait achetée à ma mère pour sa fête, il y a deux ans, alors qu'elle désirait se mettre au Yoga sans avoir à sortir de la maison. Maxime me prévient : il viendra avec un cadeau. Il arrive quelques minutes plus tard avec le DVD de *Just Dance 4*, qu'il a loué pour toute la semaine. C'était d'abord pour son frère. Antonin, semble-t-il, adore danser. Alors depuis dimanche, Maxime a passé plusieurs heures avec lui, à danser dans leur salon. Pour donner du répit aux Télétubbies, peut-être !

Mon ami me propose une partie sur la chanson de mon choix. C'est nouveau pour moi, mais heureusement le jeu est simple : nous devons reproduire en simultanée et en effet miroir la chorégraphie exécutée par un danseur en dessin animé à l'écran. La télécommande que nous tenons à la main suit les mouvements de notre corps et détermine notre pointage. J'accepte. En même temps, s'il m'avait demandé de me fracasser la console Wii sur le crâne, j'aurais sans doute dit oui, aussi.

Nous allons au sous-sol. C'est là que ma mère a installé la Wii pour faire son yoga une fois par trois mois (ce qui explique la forme relativement relâchée de Jolène). Maxime a plus d'expérience que moi. Ça fait plusieurs jours qu'il s'exerce avec son petit frère. Malgré tout, je parviens aisément à le battre. J'ai pas mal de coordination et je saisis rapidement qu'il vaut mieux danser avec retenue. Une économie de mouvement, c'est toujours gagnant. À la fin de mes prestations (parce que oui, on multiplie les parties), le juge virtuel du jeu vidéo qualifie toujours ma danse de *créative* ou de *mignonne*. De son côté, au terme de ses danses, Maxime écope systématiquement du terme *sauvage*. Et je dois dire que le juge virtuel n'a pas tort : mon ami danse sauvagement. Il dépense son énergie sans compter en faisant des mouvements larges, mais peu gracieux. Il est très beau à voir, mais il en donne trop. Il danse avec la même intensité que le bonhomme à l'écran, même si tout ce qui importe pour récolter des points, c'est que les mouvements de la télécommande rattachée à notre main droite concordent avec la main lumineuse du danseur en dessin animé. Et comme il est plus grand que moi, il lui arrive de frôler le plafond bas du sous-sol avec sa main ou la télécommande. Les chansons se succèdent (*Call Me Maybe* de Carly Rae Jepsen, *So What* de P!nk, *Moves Like Jagger* de Maroon 5, *Umbrella* de Rihanna…) et je gagne systématiquement. C'est doux pour l'ego, mais douloureux pour mon empathie. Je trouve ça dur de voir mon ami désarçonné chaque fois qu'il se râpe la main contre mon plafond trop bas pour lui.

Un moment donné, pendant sa chorégraphie déchaînée sur la chanson *Never Gonna Give You Up* de Rick Astley (un vieux succès fabuleusement entraînant de la fin des années 80), il se met à faire le moulinet avec son bras, comme le fait le superhéros à l'écran. Mais le plafond vient plus tôt que prévu et il s'y frappe violemment la main gauche.

Il échappe une plainte. Nous interrompons la danse et je remarque que sa main est pas mal tout éraflée. Du sang en pointillé trace une démarcation entre deux jointures.

— T'as mal?
— Ben non. C'est con. Je me suis encore trop donné.
— Bouge pas.

Je cours à l'étage vers la salle de bains chercher notre onguent à l'Aloès pour apaiser les jointures de mon ami. Ma mère m'entend.

— Vous venez regarder l'émission ?

— Quelle émission ?

— *M'as-tu vu ?*, c't'affaire ! Ça commence !

— Non, non. On joue à la Wii, là…

À l'insu de ma mère (rivée à l'écran pour voir le générique qu'elle a pourtant vu au moins quinze fois !), je vole le tube d'onguent. Je reviens au sous-sol anormalement à bout de souffle.

Ai-je tant couru dans les marches ? Non. Me suis-je tant donnée à *Just Dance 4* avec mes *sparages* délicats ? Non. Alors pourquoi mon souffle ne me revient pas ?

En atterrissant devant mon ami, je comprends pourquoi.

Je suis amoureuse de Maxime Daneau.

C'est con, mais c'est ça. Mon cœur s'emballe parce que Maxime m'emballe. Je le savais, oui. Je le savais qu'il ne me laissait pas indifférente… Mais maintenant, je réalise que c'est l'amour qui s'est jeté dans mon corps pendant que je courais avec l'onguent dans ma main, comme si j'étais une infirmière de guerre apportant l'unique médicament pouvant sauver de la mort Maxime Daneau, mon soldat blessé au combat. Ça devient une évidence.

Je tente de reprendre un souffle qui ne reviendra jamais totalement et, contre son gré, je pousse mon ami sur le divan du sous-sol pour soigner sa blessure mineure.

— Tu vas pas mettre de l'onguent juste pour ça. C'est rien qu'une éraflure.

— Mais tout d'un coup que ça s'infecte ?

— T'es fine de prendre soin de moi.

— Ça me fait plaisir.

Sans rien dire de plus, je crème la blessure. J'applique amoureusement l'onguent sur ses doigts (tellement doux !), ses jointures (tellement douces !), sa main sous laquelle pulsent de magnifiques tendons et de jolies veines. Mon cœur ne se calme pas. Ne décélère pas. Eh, *boy*. Je me fais penser à Marie-Jeanne qui soignerait Steven Tremblay-Buisson. Je suis absolument pathétique. Je me cherche une contenance. Je dis le premier commentaire stupide qui traverse mon esprit pour tuer le silence gênant.

— Tu as les jointures pointues. On dirait un point américain.

— C'en est un. Quand je frappe, ça détruit tout en miettes, prétend Maxime en prenant une voix de tueur à gages de films d'action.

J'éclate de rire. Je ris plus fort que je ne le voudrais.

— Pourquoi tu ris ? T'as pas peur de moi ?

— Pantoute. T'es le gars le plus doux que je connaisse.

— Je suis pas doux.

— Oui, t'es doux.

— Je suis pas doux, bon !

Et il prend un oreiller sur le canapé le plus près de lui et m'en assène un coup sur la tête. Je ne fais ni une ni deux et rapplique avec l'oreiller préféré de ma mère, soit celui bourré de plumes d'oie. Dans le temps de le dire, ça dégénère en bataille d'oreillers en règle. Maxime se fout de tacher les tissus avec son onguent. Il charge sur moi avec autant d'aplomb que d'amusement. Je lui rends la monnaie de sa pièce en lui donnant un coup sur la tête plus violent que les autres. L'oreiller se déchire sur la belle tête de Maxime. Ma mère va me tuer. Le contenu se libère partout autour de lui. Ma mère va me tuer. Le sous-sol est une arène de baston de volailles mexicaine. Ma mère va me tuer. Il neige des plumes sur nos têtes ahuries. Ma mère va me tuer. Maxime et moi éclatons de rire. Ma mère va me tuer. Nous rions comme des enfants. Ma mère va me tuer. Maxime se rapproche très près de moi. Ma mère va me tuer. J'arrête de rire parce qu'il me regarde drôle. Il crache une plume collée à ses lèvres, comme s'il venait d'avaler un poulet en entier, et il m'embrasse. Maxime Daneau m'embrasse. Ah et puis tant pis! Ma mère peut bien me tuer. Je m'en fous. Maxime Daneau m'a embrassée. C'est tout ce que j'attendais ici-bas pour le moment.

Je peux mourir en paix.

JOUR 19

C'est le jour des exposés sur Michel Tremblay ! Magali et Fanny sont les premières à faire leur présentation. Évidemment, elles ont choisi *Demain matin, Montréal m'attend*, une comédie musicale. Magali analyse l'œuvre avec, sans doute, beaucoup de lucidité.

— C'est une œuvre qui montre l'autre côté du *star-system*. Ça raconte l'histoire de Lola Lee qui est une chanteuse très ambitieuse. Elle est prête à tout écraser sur son passage pour parvenir à ses fins. Pour atteindre la gloire et le succès.

Je ne peux pas m'empêcher d'échapper un petit rire. Lola Lee, une chanteuse ambitieuse ? C'est si près de Magali (Maga Lee), l'élève ambitieuse qui a soif de gloire et de succès ! Mon rire est plus sonore que je ne le voudrais, car quelques élèves se retournent vers moi, intrigués. Je fais mine d'avoir ri pour rien pendant que Maga Lee me lance un regard de feu.

Je dois faire gaffe. Maintenant que je suis de retour à l'avant de la classe, toutes mes réactions peuvent être captées. Eh, *boy* que je m'ennuie de mon anonymat parmi les pupitres au fond de la salle, entre Marie-Jeanne et Maxime ! Surtout à côté de Maxime… On ne s'est pas parlé depuis hier. Pas de retour sur le baiser échangé dans mon sous-sol en pleine tempête de plumes d'oie. On a tout nettoyé en riant. Remis toutes les plumes dans l'oreiller. Mis du gros *masking tape* sur la plaie du tissu, sous la taie. Ma mère n'a rien remarqué (et par conséquent, ne m'a pas tuée). Maxime est parti comme un voleur amoureux. Et ce matin : rien. Je suis trop loin de lui pour faire un retour sur le bonheur éprouvé hier soir. Bonheur qui se prolonge aujourd'hui, malgré la Maga Lee qui sévit à l'avant.

Après la présentation de l'héroïne de Tremblay, véritable sosie de notre petite vedette locale, Maga Lee et Fanny décident de chanter des extraits de leur pièce. Comme elles ne connaissent pas l'air des chansons, elles chantent sur l'air des *hits* de Rihanna ! Pauvre Michel Tremblay ! Et ce n'est pas tout : elles en rajoutent en faisant des chorégraphies hors contexte, plus près du hip-hop que de la danse de Broadway. Le tout capté, bien évidemment, par le caméraman amusé.

Je me casse le cou pour trouver le regard de Maxime, derrière. Il a l'œil moqueur, comme moi. Ce qui n'est pas le cas de monsieur Robillard qui, lui, trouve les filles « généreuses et contemporaines ». C'est les mots qu'il choisit. Moi, je les trouve simplement connes.

Après quelques équipes, c'est notre tour, à Maxime et à moi. Pour l'occasion, nous nous coiffons de chapeaux de cowboy. Max porte un chapeau noir ayant appartenu à un de ses oncles, et moi, un tout blanc que possède (mais ne porte jamais !) ma mère, sans doute acheté au rabais dans une super vente en dix-neuf cents quatre-vingt-quelque-chose. Peu importe : nous avons fière allure.

D'emblée, tout le monde sourit de nous voir ainsi. C'est mon ami qui entame la présentation.

— *Sainte Carmen de la Main* est la pièce la plus politiquement engagée de Michel Tremblay. Il s'agit d'un hymne à la révolte du petit peuple. Un peuple qui prend la parole, pour rompre les chaînes l'opprimant, en affirmant sa propre existence par le biais de Carmen, la sauveuse. C'est à la fin des années 70 que la pièce a été portée à la scène. À ce moment-là, le Québec vit de grands chamboulements. Nous sommes au cœur du grand courant d'affirmation nationale des Québécois, dont Michel Tremblay a été l'un des ténors, pendant les années qui ont précédé le premier référendum, soit en 1980.

Je prends le relais avec aplomb. C'est Maxime qui m'en procure autant. Il est viril avec son chapeau de cowboy !

— Maintenant, parlons un peu de l'histoire. Ça raconte le retour à Montréal de Carmen, une chanteuse de musique western. Elle revient d'un stage de perfectionnement à Nashville et elle décide qu'elle va dorénavant chanter son propre répertoire, soit des chansons en français. Finies les traductions de succès américains ! Carmen a envie de convier ses *fans* à du vrai *stock* original. Des chansons d'ici, écrites en français québécois, pour leur révéler leur propre beauté. La beauté sale, mais vraie, de ses admirateurs paumés qui s'entassent dans un bar-spectacle crado, minable et triste. Un bar en plein cœur du *Red Light* paumé du boulevard

Saint-Laurent, la rue principale (la *Main*) de Montréal. Ce qu'elle veut, Carmen, c'est réveiller le peuple. Le petit peuple. Elle veut qu'il apprenne à se trouver beau comme il est. Sans fla-fla. Sans paillettes. Beau tout court.

Je dis ça en regardant la caméra droit dans le viseur. Pour qu'on comprenne mon message. Je ne sais pas pourquoi j'agis ainsi. Ça me vient de même! Je le fais, comme si j'étais chargée d'une mission d'allumeuse de lanterne! D'éveilleuse de conscience! Une vraie petite Carmen, quoi!

Maxime reprend le flambeau, avant que je me mette à secouer le caméraman et sa caméra, en guise de réveil concret.

— Si la pièce s'intitule *Sainte Carmen de la Main*, c'est sans doute en lien avec la fin. Maurice, par le biais de Tooth Pick, son homme de main, tuera l'idole du peuple. Carmen deviendra une martyre, une véritable sainte, si on veut. Elle a voulu sauver son peuple de la fausseté, mais on l'a tuée. Pas de révolution possible. Pas de changement envisageable. La routine rentable. C'est tout. La valeur sûre. Le petit peuple ne pourra pas apprendre à se trouver beau, à écouter parler de lui pour de vrai. Gloria, une chanteuse d'une époque révolue, vient faire son *comeback*.

Je renchéris sur ce personnage en défiant sans subtilité le regard de Magali la starlette.

– Gloria vient leur servir du préchauffé. Du prémâché. Et le petit peuple québécois se voit obligé d'avaler en silence. Sans rien dire. Dans le fond, *Sainte Carmen de la Main*, c'est une pièce immensément triste. Même pessimiste. C'est une pièce sur la révolte, OK. Mais une révolte qui ne porte pas ses fruits. Après le meurtre de Carmen – impuni en plus! – tout redevient comme avant. Le peuple n'est pas libéré. Ouin. C'est une pièce pas mal triste.

Monsieur Robillard fait les yeux ronds en souriant. Ça se voit qu'il est impressionné par notre analyse de la pièce. Je suis pas mal fière et impressionnée moi-même, je dois dire. Je n'ai jamais fait une aussi belle équipe qu'avec Maxime. On se comprend et on se complète.

Je regarde la classe. Nos camarades voient-il le lien que nous avons tenté de faire avec cette mascarade de *M'as-tu vu*?? Sentent-ils que je parle de nous? Que je parle d'eux? J'en doute. C'est probablement une fin pessimiste pour nous aussi.

Nous terminons néanmoins notre exposé en jouant la fameuse scène de confrontation de Carmen et de Maurice. Maxime joue le violent et méprisant proprio de bar avec beaucoup d'assurance. Il me fait presque peur. Je fais de mon mieux pour lui donner la réplique à la hauteur de son talent, pour défendre mon point de vue comme Carmen le ferait, soit avec panache et conviction. Notre échange est cinglant, violent. Deux regards sur le monde qui s'affrontent et s'entrechoquent. Du vrai conflit. Charles, notre prof d'art dramatique nous l'avait bien dit : pour que le théâtre soit bon, il faut qu'il y ait du conflit !

Au terme de notre scène enlevante, la classe se met à nous applaudir. Monsieur Robillard en fait autant. Marie-Jeanne, elle, en fait un peu trop, seule au fond de la classe, levée de tout son long, nous applaudissant à tout rompre.

Maxime me regarde, heureux. Il tape sur la bordure de son chapeau, comme un vrai cowboy, l'air de me dire « mission accomplie », et j'ai envie de le *frencher* là, devant tout le monde et même devant la caméra, pour le restant de ma vie.

*

J'embrasse Maxime. Pas devant toute la classe, quand même ! Je me garde une petite gêne. Je sais me tenir. J'attends que l'école se termine et je vais le rejoindre à sa case. Et je l'embrasse. Il y a du monde autour de nous, mais je m'en fous ! Je sais être une fille dégourdie, moi aussi !

— Qu'est-ce que tu fais ? me dit Maxime en me repoussant.
— Qu'est-ce qu'il y a ?
— On est pas tout seuls.
— OK, pis ? T'as honte de moi ?

Je dis ça en riant, mais Maxime n'entend pas à rire. Je deviens grave comme lui.

— T'as honte de moi pour vrai?
— Hein? Ben non…
— Tu veux pas qu'on nous voie ensemble.
— Pourquoi je voudrais pas qu'on nous voie ensemble? Depuis un mois, on est toujours ensemble!
— D'abord, tu veux pas qu'on nous *croie* ensemble.

Maxime ne répond rien. Il soupire. Il soupire comme quand ma mère trouve que je suis trop lente dans la salle de bains. Que je lambine avant de prendre une décision pour un achat de vêtement ou que je paresse avant de ranger ma chambre. Il soupire comme une mère tannée des questions de son enfant. Comme si j'étais lourde. Un poids de plus dans sa vie compliquée.

Son silence veut tout dire. Toutes les choses qui font peur, qui font mal. Son silence dit absolument tout.

Je détourne la tête. Si je vois son malaise de ne pas trouver les mots une seconde de plus, j'ai peur de me mettre à pleurer. Mes yeux tombent sur une fille laide, avec un chapeau de cowboy blanc laid. Mon réflexe est de trouver cette fille ridicule et moche. Les deux à égalité. Ridicule. Et moche. Le hic, c'est que cette fille, c'est moi. C'est mon propre reflet que renvoie le miroir collé au revers de la porte du casier de Max. Je tombe nez à nez avec moi. C'est un combat à finir entre les deux filles les plus hideuses de Pierre-Jean-Jacques :

moi et moi. Cybèle Campeau-Grégoire contre Cybèle Campeau-Grégoire.

Je suis obnubilée par mon reflet. Comme si c'était la toute première fois que je me voyais pour de vrai. Plan rapproché sur ma laideur. Zoom sur mes taches de rousseur, mon grain de peau pas heureux, sec. Zoom sur ma blancheur inquiétante, en manque de salon de bronzage. Zoom sur mes épaules un peu voûtées malgré mes 15 ans, sur ma posture d'ado blasée, *scoliosée, lordosée*, épuisée par des années de fadeur. Zoom sur mes cheveux jaillissant de sous le chapeau comme du foin, comme de la paille brûlée par le soleil. Zoom sur mon front vaste et long, contre lequel mon toupet ne peut rien. Zoom sur mon long nez, un véritable accident de la nature, comme si la personne qui avait dessiné mon visage s'était endormie en pleine job et n'avait pas pu stopper à temps son trait. Zoom sur mes yeux tristes comme deux pierres, calées au fin fond d'un étang.

Zoom sur tout ça.

À mon tour de soupirer. Madame Provencher a raison : je n'ai pas un physique avantageux. Elle est même trop bonne pour moi. Parmi toute la banque de mots cruels pour définir un physique ingrat, elle a pris le plus doux, le plus inoffensif. Mon physique de *cowgirl* fade mérite les pires adjectifs.

Maxime prend mon menton dans sa main pour que je plonge mes yeux dans les siens. Sa pitié me dégoûte.

— Pourquoi tu pleures, Cybèle? Voyons, mais je veux pas que tu pleures.

— Je pleure pas.

Je retourne au miroir. Zoom sur mes larmes imprévues. Mon chagrin est hideux, comme le reste. Il y a des gens qui pleurent bien, qui pleurent propre. Je n'en fais pas partie.

— Attends, j'ai des Kleenex dans ma case.

Je recule. Je regarde le dos de Maxime occupé à fouiller dans son casier. Le miroir est toujours braqué sur moi, comme une insistante caméra. Je recule encore. Il faut que ça cesse. Je suis indécente de laideur. Je rassemble ce qui me reste de dignité et cours attraper le bus qui me ramènera à la maison. Loin de Maxime Daneau. Loin de Magali-pas-de-E. Loin de l'école Pierre-Jean-Jacques.

Pendant le trajet du retour, je fais semblant d'écouter Héloïse déblatérer sur les chances de notre école de remporter le concours. Elle parle, elle parle, elle ne fait que ça, parler. Un moment donné, elle le réalise.

— C'est drôle, je parlais pas comme ça, avant. Avant *M'as-tu vu?*, je veux dire. Je pense que la téléréalité m'a décoincée un peu. Tu trouves-tu? Je sens que j'aime m'ouvrir aux autres, finalement. Je pense que je vais m'inscrire en communications, au cégep. Hein, Cybèle? Trouves-tu que ça m'irait bien, ça, les communications, Cybèle? Il me semble que oui.

Eh, *boy*. Va-t-elle se taire un jour? Je me masse les tempes; un mal de tête violent me mène la vie dure.

— Oh, Cybèle, tu fais des plaques rouges sur ta peau, toi. Je connais une super bonne crème pour ça.
— Présentement, Héloïse, ce qui serait super héroïque de ta part, c'est que tu te la fermes un peu. Tu penses-tu que tu peux faire ça?

Héroïque Héloïse ne répond rien à ça. Ses yeux sont ronds et effrayés comme si je venais de lui dire que j'allais m'introduire dans sa chambre par effraction, cette nuit, pour lui enfoncer de force des dizaines de pastilles dans le creux de la gorge, dans l'espoir de l'étouffer. Elle est silencieuse, enfin. J'ai du répit jusqu'à la maison.

Je ne vais pas à l'école, aujourd'hui. J'ai trop mal à la tête.

Ça ne m'arrive pas souvent, ce genre de chose, alors ma mère est super conciliante. Qui plus est, mon exposé oral est derrière moi. Je n'ai rien d'important à l'école aujourd'hui. Je n'ai rien de mieux à faire que d'être malheureuse, seule à la maison.

— Reste couchée, ma cocotte. Prends des Advils. Je vais aller au travail. Tu m'appelles si t'as un problème, hein?
— Promis.
— T'as le numéro de la Caisse?
— Ben oui, maman. Va en paix.
— Ouin. Bonne journée malgré tout, ma belle.

Ma belle. Eh, *boy*. C'est ça, maman. Ta belle fille laide va tenter de dormir toute la journée en souhaitant très fort de se fondre dans les draps, de disparaître sous la couette. D'ailleurs, explorer les textures de ma literie et mesurer les dimensions de mon lit, c'est tout ce que je fais depuis mon retour de l'école hier. J'ai mangé un peu de soupe, j'ai fui tous les miroirs de la maison et je suis montée à ma chambre m'étendre. Je n'ai rien dit à ma mère. Rien d'autre que «je vais pas bien». Elle m'a cru et m'a laissée tranquille. Elle a cogné à ma porte à deux reprises. Une fois pour me signaler que *M'as-tu vu?* commençait (je m'en suis foutue), et une fois pour me signaler que ça faisait trois fois que

Maxime téléphonait (j'ai fait semblant de m'en foutre). Je ne l'ai pas rappelé. J'allais trop mal pour parler.

Ce matin, c'était pareil. Je ne me sentais toujours pas la force de lui parler. Alors j'ai prétexté à ma mère ce mal de tête qui, je dois l'avouer, n'est plus aussi violent qu'hier soir. Je crois que j'ai plus mal à l'orgueil qu'autre chose.

Je prends la journée pour moi. Je marche jusqu'au club vidéo, tout près de chez nous. J'y loue deux stupides films de filles pour me faire du bien, et le jeu *Just Dance 4* pour me faire du mal.

Je regarde les films de filles sur notre *laptop*, en braillant dans mon lit. Les héroïnes des deux *blockbusters* sont plus belles que moi et malgré ça, leur vie amoureuse ressemble à la chienne à Jacques. Pas étonnant qu'avec mon physique peu avantageux, ma vie ressemble à la chienne à Pierre-Jean-Jacques !

Après un léger dîner, je décide de me secouer un peu. Je vais au sous-sol et me mets à danser sur *Just Dance 4* sur la Wii de ma mère. Je refais toutes les chorégraphies faites avec Maxime mercredi soir, mais cette fois en solo. Tous les *hits* y passent. Je consacre mon après-midi à me déchaîner sur *Call Me Maybe, So What, Moves Like Jagger, Umbrella, Never Gonna Give You Up…* Je tente de changer ma manière de danser. Ça fonctionne : le juge virtuel du jeu vidéo cesse de qualifier ma danse de *créative* ou de *mignonne*, et la définit comme étant *sauvage*. Comme celle de Maxime Daneau. Sauf que moi, je ne m'écorche pas la main. Même en sautant, je n'atteins pas le plafond.

Je suis trop petite pour me faire mal.

Je suis trop petite pour avoir mal.

L'épuisement finit par se faire ressentir. Évachée sur le divan, je cale une bouteille d'eau. En laissant tomber ma tête sur un oreiller, celui que j'ai déchiré sur la tête de Maxime, une plume est expulsée (le *masking tape* s'est décollé?). Je la rattrape. Elle se dépose dans ma main, comme un flocon. Elle est douce. Je me chatouille le nez. Puis, je souffle sur elle, la fais voler au-dessus de moi avec mon air. Je dois faire ça longuement, car un moment donné, j'entends les pas de ma mère dans l'entrée, à l'étage. Elle revient du travail. Je plonge la plume dans la poche de mon jeans, comme s'il s'agissait d'un porte-bonheur. Ou comme si c'était une petite poupée vaudou de Maxime.

Au même moment retentit la sonnerie du téléphone. C'est Marie-Jeanne.

— Cybèle?! Comment tu vas? Je suis super inquiète: tu manques jamais l'école!
— Je vais bien.
— Tu me jures?
— Je te jure. Je vais vraiment mieux.

– Tu viens me conter tout ça chez moi, OK? Patricia et moi on t'invite à passer la soirée avec nous. Une soirée de filles, comme l'autre fois. Tu peux pas dire non. *Please.*

*

How to love joue dans le tapis. Marie-Jeanne danse un slow avec son beau Justin en carton. Elle fait ça juste pour me faire rire, et ça marche plutôt bien. Patricia et elle ont poussé la table basse de leur salon contre le mur. Marie-Jeanne a de la place pour danser avec son idole en deux dimensions. Elle le dépasse d'une bonne tête. C'est comme si elle dansait avec un enfant.

Un moment donné, elle fait descendre les mains cartonnées de Justin sur ses fesses. Elle fait de gros yeux, comme si elle était offusquée.

– Justin, s'il te plaît. Pas devant Patricia et Cybèle!

J'éclate de rire. Mon amie a du talent pour me changer les idées. Quand je suis arrivée, tout à l'heure, cachée en petit bonhomme derrière la table du salon, elle m'a même fait un théâtre de marionnettes avec les vieilles chaussettes de Steven Tremblay-Buisson! D'une main, elle incarnait Steven en personne, et de l'autre, Magali-pas-de-E. Elle a recréé la scène de la guignolée pour me divertir et c'était hautement réussi.

— Va coucher Justin dans ta chambre, là. *M'as-tu vu?* va commencer! crie Patricia, voyant l'heure approcher.

Marie-Jeanne obéit. Pendant ce temps, j'aide Patricia à réinstaller la table basse en plein cœur du salon, à l'endroit même qui servait de piste de danse plus tôt. Patricia court à la cuisine. Elle en revient avec des verres dépareillés (deux en plastique de couleur pastel et un petit en vitre que je suspecte être un ancien contenant de Nutella), une grosse bouteille de Pepsi et un immense bol à salade rempli de *chips* BBQ.

— Tu vas en prendre, j'espère? La dernière fois, t'as pris quatre *chips* gros max. Marie et moi, on va se sentir coupables, si tu manges pas avec nous.

Certainement que je vais en prendre! Je n'ai plus envie de plaire à personne. Je vais passer au travers du bol de *chips*. Je vais devenir immense et je m'en contrefiche. C'est bon, des *chips* BBQ. Je ne vais pas m'en priver!

Quand Marie-Jeanne revient au salon (dans sa vaste et divertissante jaquette!), j'ai déjà calé mon petit verre de Pepsi et mangé deux bonnes grosses poignées de *chips*. Je vais passer une belle soirée, je le sens. Dans le divan étroit, mon amie intercale son corps imposant entre celui de Patricia et le mien. Elle met le bol de *chips* directement sur ses cuisses, en prétextant que ce sera plus simple pour nous de se servir. Ce sera surtout plus facile pour elle!

En attendant son émission fétiche, Patricia grignote quelques *chips*. Elle est moins déchaînée que la dernière fois. Elle n'engloutit pas sans arrêt, comme sa fille. Ce soir, elle veut être sage, qu'elle dit. Elle ne veut pas ambitionner. Elle surveille sa ligne pour demain soir. Elle a une *date*. Une *date* avec un monsieur riche, il paraît. Elle l'a rencontré sur Réseau Contact. C'est Marie-Jeanne qui l'a inscrite récemment. L'homme riche porte bien son nom : il s'appelle Richard. S'il est un riche Richard comme je suis une si belle Cybèle, je le plains. En fait non, je plains Patricia. Mais l'important, c'est que Patricia est heureuse. Elle est excitée comme une gamine. Elle a l'impression que sa vie est sur le point de changer.

— Je vais mettre ma plus belle robe pour le séduire ! Patricia va enfin faire son *comeback* sur le marché de la *cruise* ! *Checkez*-moi ben aller demain !

Elle a quelque chose d'émouvant. Mais Marie-Jeanne est un peu moins touchée que moi. Elle se moque d'elle.

— Surveiller sa ligne, ça se fait pas 24 heures à l'avance ! Franchement, Pat, t'es drôle, toi !
— Laisse-moi donc être heureuse. C'est toi la première qui vas sauter au plafond si je deviens riche par alliance !

Je suis intriguée par cette *date*. Je m'informe auprès de Patricia.

— Est-ce que c'est un *blind date* ou une *date* tout court ?

– Une *date* tout court. J'ai vu une photo !
– Et le verdict ?
– Il est riche !

Patricia éclate de rire en me précisant que la beauté,
ce n'est pas tout, dans la vie. Je le sais bien. Mais c'est
déjà pas mal.

C'est vraiment déjà pas mal…

Marie-Jeanne nous révèle le fond de sa pensée :

– Pour un vieillard, il est bien conservé.
– Il est si veux que ça ? que je demande.
– Non, Marie exagère. Il a 61 ans. C'est pas si vieux
que ça. Il a du vécu, plutôt. De l'expérience ! Il est veuf
depuis deux ans. Sa femme a eu un cancer des ovaires.
Morte super vite. Il vit seul depuis. Il a une grosse
entreprise de sirop pour la toux. Pis il m'écrit des belles
lettres sur internet. Il emploie plein de beaux mots pis
il a l'air super gentil. Il dit qu'il me trouve divertissante !
C'est tout ce que je demande. Hein, Marie ? T'es pas
heureuse pour moi ? Un gars attentionné, qui a envie de
me rencontrer… Eille ! Un entrepreneur ! Un gars avec
une grosse entreprise de sirop pour la toux ! Penses-y. Si
ça marche lui pis moi, on n'aura pu jamais de maux de
gorge, Marie !
– Ben oui, maman. Je suis heureuse pour toi.

C'est la première fois que j'entends mon amie appeler sa mère *maman*. Ça doit être parce qu'elle le pense vraiment.

Jingle insignifiant reconnaissable parmi mille. Celui de *M'as-tu vu?* (quoi d'autre !). Exit le moment de tendresse mère-fille. Patricia et Marie-Jeanne se mettent à crier. Elles sont au bord de l'apoplexie. À l'écran, c'est le générique de leur émission favorite. C'est le dernier épisode officiel de leur chère téléréalité. Lundi matin, nous saurons quelle école sera gagnante, qui, de L'Académie de la Sainte-Connaissance ou de l'École Pierre-Jean-Jacques, remportera les honneurs. Ce soir, c'est crucial. Si notre école fait bonne figure, la victoire nous reviendra et notre bibliothèque se fera baptiser LA BIBLIOTHÈQUE MAGALI-PAS-DE-E LOISELLE-BIENVENUE. Juste y penser me donne mal au cœur. Je chasse cette image de ma tête et replonge ma main dans la montagne de *chips* sur les genoux de mon amie. J'ai bien le droit, moi. Je n'ai pas de *date* demain !

Je suis très excitée moi aussi d'être devant la télé, ce soir. Parce que Maxime méprise cette téléréalité, je suis ravie de regarder *M'as-tu vu?*. C'est comme une forme de vengeance ou de bravade. Je sais que ça n'a pas rapport, mais c'est comme ça que je le ressens.

La première demi-heure est consacrée à l'école de la théâtrale Julie-Anne Guillemet-André. Pour faire changement, l'école présente un nouveau *lip dub*. Mais quelle originalité de marde ! Qui plus est, il est le moins bon des trois que Julie-Anne et ses amis des Laurentides nous ont concoctés. Leur *lip-sync* est étonnamment mou. Tout ça manque de tonus et de précision. Seraient-ils épuisés, eux aussi ? Et en plus, le choix de chanson me laisse indifférente. Néanmoins, je sens que l'Académie de la Sainte-Connaissance a de bonnes chances d'être sacrée grande gagnante. La preuve, notre polyvalente n'a rien fait de spécial, cette semaine. On aurait cru que Magali aurait voulu mettre le paquet pour être flamboyante et séduire les téléspectateurs une bonne fois pour toutes, mais elle aurait manqué de temps. Elle explique d'ailleurs à l'écran qu'elle a choisi de se consacrer à son exposé oral sur Michel Tremblay pour son cours de français.

— J'aurais pu organiser quelque chose de *big*, mais j'ai choisi de *focusser* sur mes études. Ma réussite académique passe en premier. D'ailleurs, même si j'ai rien préparé avec l'école, vous pourrez voir que j'ai mis le paquet pour mon oral !

Manipulation émotive ! « J'ai choisi de *focusser* sur mes études. » Ce qu'elle est ratoureuse, cette fille ! Elle va encore réussir à attendrir les téléspectateurs ! Quel talent, tout de même.

Aussitôt ce commentaire adressé à la caméra, *Cool comme tout !* nous présente l'entièreté de son numéro chanté et dansé de *Demain matin, Montréal m'attend*. Encore cette chorégraphie hors contexte de hip-hop. Patricia éclate de rire.

— Elle est pas ben, ben bonne, la petite Magali, il me semble. Non? dit Patricia.

Et c'est à ce moment que Marie-Jeanne se voit à l'écran. En gros plan. Elle est là. Pendant un bon cinq secondes. On ne l'entend pas (c'est un moment de son exposé oral avec Shany, mais les producteurs ont choisi un extrait où l'on entend cette dernière, plutôt que mon amie...), mais elle est bel et bien là. Marie-Jeanne se met à pleurer de joie. Elle est émue de se voir. Comme si on lui révélait la validité de son existence.

Mais la crainte s'installe. Mon amie s'est trouvée costaude, pendant ces cinq secondes de gloire.

— Patricia, sois honnête : je suis pas si grosse que ça, hein?
— Ben non, Marie! Tu sais ben que la *TV* fait prendre 10 livres de plus.
— C'est vrai. J'avais oublié ça. Merci, Pat.

Je suis toujours autant fascinée par leur relation d'amitié.

— Cybèle, tu sais qu'enfant, on a donné à Marie du lait engraissant? Elle était trop maigre, prétend fièrement la mère de mon amie.
— Oui, elle m'avait dit ça, que je réponds.
— Ouin, t'en manques pas une pour te vanter, Marie!

Mon amie se met à rire grassement, la bouche pleine de *chips* BBQ. Je suis incapable de suivre sa cadence d'avaleuse de *chips* professionnelle. Je ne fais plus que siroter mon troisième petit verre de Pepsi. Je marche vers la salle de bains quand Marie-Jeanne me crie de revenir illico, que c'est à mon tour d'être à l'écran, en gros plan. Pourquoi faut-il que chaque fois que je passe à la *TV*, je sois absente? Je mériterais une psychanalyse.

Je me rue plus vite que je ne le voudrais vers le salon de mes hôtesses dans l'espoir de me voir. J'ai la certitude que je vais me trouver laide, grosse, stupide… Je me prépare au pire. Je ne me fais plus d'idée après avoir vu mon vrai visage dans le miroir à l'intérieur du casier de Maxime, hier.

Je suis là, devant moi. Plan rapproché de mon visage. Je porte le chapeau de cowboy blanc de ma mère. Je parle, je parle, je n'arrête pas de parler. Je suis enflammée, chargée à bloc. Je suis investie. C'est ça le mot. Investie. « […] Ce qu'elle veut, Carmen, c'est réveiller le peuple. Le petit peuple. Elle veut qu'il apprenne à se trouver beau comme il est. Sans fla-fla. Sans paillettes. Beau tout court. »

Zoom sur mes taches de rousseur, sur mes fossettes, sur mes dents blanches, sur mes yeux verts et pétillants. Zoom sur tout ça. C'est fou, mais je ne me trouve pas hideuse du tout. Au contraire. Ce que je vois à l'écran, c'est une fille jolie, allumée et pertinente. Jamais je n'aurais prévu ça.

Quand Marie-Jeanne et Patricia m'applaudissent, à la pause publicitaire, je reçois leurs bravos comme une actrice de théâtre et finis par me lever et les saluer. *Cool comme tout!* aurait pu faire un montage pour me ridiculiser. Ce n'est pas le cas. Je me suis aimée.

Gosh.

Je me suis aimée.

– T'es tellement impressionnante! Je suis sûre que les téléspectateurs vont voter pour notre école juste à cause de toi!
– Exagère pas, quand même! que je dis à mon amie.
– Je suis sérieuse. Tu parles comme une première ministre!

Je ne peux pas m'empêcher de sourire et d'être sincèrement fière de moi. Ma mère téléphone au même moment. À l'autre bout du fil, elle tient à me dire que c'est moi la plus belle. Pour une fois, je n'ai même pas envie de lui dire de se taire.

Mon père vient me chercher vers 21 h 30, peu après l'émission. Pendant toute la soirée, je me retiens pour ne pas partager avec lui ma petite excitation d'avoir brillé à l'écran. J'aurais peur qu'il me juge. Alors je garde ça pour moi, même si ça me brûle les lèvres.

Avant de me coucher, je vais regarder les photos de Maxime Daneau sur Facebook pour me faire du mal et calmer ma joie. Je suis stupéfaite. En me connectant, je constate que dans mes récentes notifications, Maxime a *liké* quinze de mes photos. Il a même commenté l'une d'elles : « Oh, *boy*, Cybèle. Ton sourire est toujours aussi magnifique. »

J'essaie de ne pas pleurer.

J'échoue.

Je vais au lit, bouleversée. Toute la nuit, je serre dans ma main la plume d'oie émergée cet après-midi de l'oreiller de ma mère, comme si c'était un doigt de Maxime.

SAMEDI (BONUS)

Ça fait des lunes que mon père tente de m'inciter à faire une activité sportive. Il trouve que je suis trop plongée dans mes livres et mes études. C'est lui, l'écrivain, qui me dit ça! Mais il faut dire que mon père est de nature plus active que moi. Il est du genre à se déplacer en vélo, à s'entraîner pour des marathons les week-ends et à aller chaque soir de semaine faire des longueurs à la piscine de la Ville.

Ce matin, dans ma chambre d'invitée, je me lève avec le désir soudain de me prendre en main. Hier soir, devant la télé, je me suis trouvée jolie. Et voir que Maxime a *liké* des photos de moi, ça m'a flattée dans le sens du poil. Je veux aller faire fondre toutes ces *chips* avalées chez mon amie Marie-Jeanne. Je veux me sentir bien. Je veux que mon euphorie perdure. Je veux que Maxime *like* l'entièreté de mes photos sur Facebook.

— Papa, je vais aller à la piscine aujourd'hui.
— Super! Il te faut un cadenas pour le casier du vestiaire et un casque de bain. Tu veux les miens?

Je jette un coup d'œil sur son casque vintage, très certainement trop grand pour ma tête (quoique mon front est spacieux comme celui de mon paternel!). Il est charmant, mais je crois que j'aurais l'air un peu trop ridicule avec ça sur la tête. Je le lui dis.

— Mais ma chère Cybèle, tout le monde a l'air ridicule avec un casque sur la tête. C'est ça qui est formidable à la piscine.

Je fouille dans mes vieux effets et je trouve mon cadenas de casier de secondaire 1. Il est barré. Je tente de faire la combinaison de mémoire, mais je n'y parviens pas. Je fais la remarque à mon père. Il m'explique qu'en portant mon oreille au dos du cadenas, je peux entendre le déclic, si je tombe sur le bon nombre. Je m'exerce. Je me sens comme dans un film d'espionnage, mais mon talent est exécrable. Je prends 15 minutes à trouver le premier nombre de ma combinaison. Je ne vais quand même pas y passer la journée!

Non informée de mon entreprise, Marie-Annick me surprend, exaspérée, l'oreille braquée sur le dos de mon cadenas. Elle fronce les sourcils.

— Euh… Cybèle? Peux-tu me dire ce que tu fais, au juste?
— J'écoute pour voir si le cœur de mon cadenas bat toujours.
— Haaaaa. Et pis?
— Non. Il est mort.

Et je le jette dans la poubelle de manière théâtrale. Ça fait un son très lourd, comme si le petit objet pesait encore plus qu'un cœur d'éléphant (j'imagine que c'est gros, un cœur d'éléphant…).

Je me résous à arrêter à la pharmacie m'acheter un nouveau cadenas en allant me procurer un casque de bain parfait pour mon crâne à moi. Je marche ensuite jusqu'à la boutique de sports de notre ville et me choisis le casque le plus sobre du rayon «natation». Je le prends bleu pour l'agencer à mon maillot bleu et blanc. De mémoire, c'est la même teinte. C'est ma petite tentative de coquetterie de la journée. Je paie en m'imaginant coiffée de mon achat en caoutchouc, gracieuse comme une nageuse synchronisée.

Je vais consulter les heures de piscine sur le site internet de notre municipalité. Le bain libre est jusqu'à 16 heures. Je dois m'activer, si je veux y aller pour la peine. J'enfile mon maillot sous mes vêtements. Je n'ai pas spécialement envie de me déshabiller devant les autres baigneuses. OK, je risque de ne connaître personne, mais on ne sait pas : tout d'un coup que Magali passe ses samedis à nager à la piscine municipale.

Je retire mes verres de contact (disons que ce n'est pas l'idéal, dans une piscine !) et chausse mes yeux de mes vieilles lunettes démodées. Je prépare un sac contenant tout ce qu'il me faut : mon nouveau cadenas à la combinaison simple comme bonjour et qui m'était prédestinée (09-29-09, moi qui suis née le 29 septembre !), une serviette de plage pour me sécher de manière exotique, des vêtements de rechange et des sandales pour ne pas contracter de verrue plantaire sur le carrelage des douches. Je me mets en route, le cœur et le corps pleins de bonnes intentions.

J'arrive enthousiaste dans les vestiaires. Il y règne déjà une odeur de chlore qui me rappelle les cours de natation de mon enfance. Pas de trace de Magali, ni de personne de connu. Fiou. Que des fillettes en costumes de bain roses, et quelques mamans. Je retire mes lunettes et mes vêtements, puis mets le tout dans un casier. Je garde ma serviette dans mon sac d'épicerie en toile, ainsi qu'un papier avec la mention 09-29-09, tout d'un coup que j'oublie ma date de naissance et ma combinaison du même coup ! J'enfile le casque bleu. Ça me tire les cheveux. Je juge du résultat dans la glace du vestiaire : ce n'est pas très heureux. Le bleu n'est absolument pas le même que celui de mon maillot. Mon casque me fait une drôle de tête et mon maillot met en relief un bourrelet. Ce n'est pas aujourd'hui que je vais postuler pour Miss Canada.

Bien que je voie flou sans mes lunettes, un panneau attire mon regard. Je me rapproche et lis : CASQUE DE BAIN ET DOUCHE OBLIGATOIRES. Je suis docile : je passe à la douche, tel qu'exigé. Une fois bien humide et frigorifiée, je me dirige vers la piscine. Des enfants y crient à tue-tête. D'autres se lancent un ballon.

J'ignore quelle partie est réservée aux baigneurs libres. La vue embrouillée par ma myopie, je crois deviner tout près la silhouette avantageuse d'un sauveteur dans une camisole blanche et un short rouge. Je m'approche de lui.

— Pardon, monsieur. C'est ma première fois. Comment ça marche, pour se baigner? Je vais où?

— Monsieur? Tu me reconnais pas? C'est moi, Steven!

— Oh, salut Steven.

Je regarde ses bras de plus près. Des biceps de gars d'*Occupation Double*. Je le reconnais bien, à présent. C'est bel et bien Steven Tremblay-Buisson, Monsieur *Sexy*-Guignolée en personne.

— T'es sauveteur?

— Oui, les samedis. Mais c'est poche, Cybèle… t'es pas chanceuse…

— Comment ça?

— Ben, c'est un cours de natation pour enfants, aujourd'hui.

— Je comprends pas. J'ai consulté le site internet. Ça disait que…

— Je sais, je sais, mais des fois, il y a des changements à la dernière minute, quand un prof doit reporter un cours. T'aurais dû appeler. On te l'aurait dit.

Je soupire, encore luisante et dégoulinante. J'ai pris une douche pour rien. Je suis en costume et en casque de bain grotesques pour rien. Je suis laide pour rien. Juste pour que Steven Tremblay-Buisson m'ait vue dans un accoutrement aussi peu flatteur. Mais je m'en fous. Le beau Steven ne me fait pas grand-chose, à moi. C'est pas lui qui me remue…

Je m'apprête à partir, mais de l'autre côté de la piscine, dans les estrades, quelqu'un semble m'envoyer la main. Est-ce bien à moi que le salut est adressé? Et est-ce bien un salut? J'ai peur d'ignorer quelqu'un d'important pour moi. Alors, par civisme, je choisis de lui rendre timidement son salut. La personne contourne prestement la piscine et se rapproche de moi.

Je lui souris. Mon sourire tombe d'un coup quand je réalise de qui il s'agit. C'est Maxime Daneau. La personne qui me remue. La personne qui m'a fait le plus de peine. La dernière personne au monde que je voulais voir aujourd'hui. J'aurais pris dix Magali-pas-de-E avant un Maxime Daneau.

— Tu fais quoi ici, Cybèle?
— Je suis venue nager. Je pensais que c'était le bain libre. Je suis venue pour rien.
— C'est poche.
— Y a des choses pires que ça dans la vie.

Les yeux de Maxime se posent sur mon maillot. Je sens que mon bourrelet est aussi visible que le casque bleu sur ma tête. Je frissonne. Je m'enroule dans ma serviette de plage mexicaine. Un gros sombrero me cache les seins. J'ai une ridicule robe de bal en ratine. Je suis le contraire d'une héroïne de film américain pour ados. Une Miss Canada de pacotille.

— Et toi, Maxime, tu fais quoi ici?
— J'accompagne Antonin à ses cours de natation.

Ah, ben oui. Évidemment. Comment avais-je pu oublier?
Maxime est le grand frère parfait…

Un silence. Un malaise gros comme la circonférence
de la piscine. Steven salue Maxime, qui lui répond en
hochant la tête. Le malaise se poursuit jusqu'à ce que
notre collègue d'école *lifeguard* s'éloigne pour faire sa
ronde. Maxime et moi sommes maintenant seuls dans
le cadre de porte du vestiaire des filles.

— Tu vas comment, Cybèle?

Je m'applique à répondre le plus froidement possible.

— Bien. Très bien, merci. Toi?
— Pas vraiment bien. Je me sens mal depuis jeudi. Pourquoi t'es partie vite comme ça?
— Quand je me sens rejetée, je m'en vais. Je suis *flyée* de
même!

Maxime me propose d'aller nous asseoir dans les
estrades. Le cours commence. Quand Antonin me
voit, il sort de la piscine et vient me serrer la taille en
m'appelant Cassandre, une fois de plus.

— C'est Cybèle, son nom, Antonin, corrige son frère.
— T'es venue me voir nager, Cassandre?
— Oui. Je suis venue juste pour toi.

Antonin retourne dans la piscine, heureux. Maxime
et moi nous assoyons dans les estrades, côte à côte,

sans nous regarder. Nos yeux suivent Antonin, ses bras battant l'eau et lui riant jusqu'à ce que ses yeux ne soient que deux petites fentes heureuses.

— T'as pas idée comme je suis désolé.
— Hum hum. C'est correct. J'avais juste mal compris quand on s'est embrassés mercredi, dans mon sous-sol, après la bataille d'oreillers.
— T'avais pas mal compris. J'avais envie de t'embrasser mercredi soir. J'avais aussi envie de t'embrasser jeudi après les cours. J'ai même envie de t'embrasser présentement.

Euh… Quoi? Il a envie de m'embrasser présentement? Je détourne le regard d'Antonin et le pose sur Maxime. Il perçoit bien dans mes yeux mon incompréhension.

— Je tente de préserver mon petit frère.
— OK. Mais je vois pas le rapport.
— Mon frère a besoin de stabilité. Quand Cassandre est sortie de nos vies, ça a ben gros chamboulé Antonin.
— Mais je suis pas Cassandre.
— Je sais. Mais je veux protéger mon frère, Cybèle. Mercredi soir, quand je suis retourné chez moi, j'arrêtais pas de penser à ça.
— À quoi?
— À toi. À t'embrasser. À mon envie d'être avec toi. Je pensais à tout ça, pis je me disais que c'était pas bien. Que je devais choisir Antonin en premier.
— Tu crois que me voir serait nocif pour lui?

— Quand t'es venue à la maison, il a été plusieurs jours à réclamer Cassandre. Il dormait super mal. C'est pour ça que mercredi soir, j'ai proposé qu'on se voie chez toi plutôt que chez moi. Pour épargner un peu Antonin.

— Il dormait mal?

— Oui, il a fait des cauchemars… Quand tu m'as embrassé après le cours de français de jeudi, je sentais que ça devenait sérieux trop vite nous deux. Et ça me faisait peur pour Antonin. Qu'il voie quelqu'un rentrer dans ma vie…

— Pourquoi tu me l'as pas dit?

— Tu m'as pas laissé le temps. T'es partie super vite, en pleurant. Je voulais pas te faire de peine. Je voulais t'expliquer ça, simplement. J'ai pas réussi.

— Tu voulais me dire que tu voulais juste être mon ami à l'école. C'est ça?

— C'est un peu ça.

Un silence de plus. Que des rires d'enfants s'éclaboussant. Je ne sais pas comment réagir, alors je braque les yeux sur l'échelle. Elle est tentante, cette échelle. J'aurais envie de la descendre, jusqu'à disparaître au fond de l'eau, sous les enfants apprenant à ne pas se noyer. J'aurais envie de battre le record de la personne s'étant le plus longtemps maintenue sous l'eau sans respirer.

— Mais disons que là, je sais plus trop. Quand j'ai vu que t'étais pas à l'école hier, ça m'a mis à l'envers, admet finalement Maxime.

J'émerge de mes fantasmes de noyade. Il ne sait plus trop quoi, au juste?

— J'y pense constamment depuis jeudi soir. Pis là, je me dis que c'est pas pour rien que je te croise ici, aujourd'hui.
— Ce serait pour quoi?
— Pour me confirmer que je devrais pas m'empêcher de quoi que ce soit. Si on y va lentement…

J'ai encore un frisson. Maxime semble détailler mes seins. C'est un peu gênant.

— Es-tu déjà allée au Mexique?
— Non, pourquoi? T'as l'intention de m'y amener?

Je regarde le sombrero imprimé sur ma serviette. Je ris un peu.

— Ah, non, c'est à ma belle-mère.
— Et le casque de bain, il est à elle aussi?
— Non, lui, il est à moi. Je viens de l'acheter. Tu peux me le dire que j'ai pas de goût.
— Non, pourquoi?
— Arrête, je suis hideuse avec ça sur la tête!
— T'es jamais hideuse. T'es belle, Cybèle. Sérieux. T'es belle.

Je rougis.

— D'ailleurs, t'étais très belle dans ma *TV*, hier soir.

– Hein? Comment ça? T'as regardé *M'as-tu vu*??!

– Oui. Je pressentais que t'allais y passer. Je voulais te voir sur mon écran. Antonin et moi, on a fait une pause de Télétubbies pour toi.

– Pourquoi tu pressentais que j'allais y passer?

– Je me suis dit que si j'étais le producteur de *M'as-tu vu?*, je t'aurais consacré tout l'épisode. C'est toi qui as quelque chose à dire. C'est toi la plus intéressante.

C'est moi la plus intéressante. Moi, en maillot rayé, enrobée d'une serviette de plage mexicaine, avec un casque de bain trop serré sur la tête.

Toutes les Miss Canada peuvent bien aller se rhabiller.

SEMAINE 5
JOUR 21
FIN DE LA COMPÉTITION

Il est rare que je vienne à l'école après les heures de classe. C'est curieux, mettre les pieds ici, alors que je n'ai pas de cours…

Il est bientôt 19 heures et c'est le festival de la nervosité dans la cafétéria de notre polyvalente. Autour de moi, les élèves tentent de se calmer auprès de leurs parents venus très certainement autant pour les supporter que pour passer à la télé. C'est à se demander qui sont les plus excités. Les élèves ou leurs parents?

Dans mon cas, c'est ma mère, naturellement. Elle passe son temps à m'écraser les doigts dans sa main gauche pour faire passer son stress, ou à me recoiffer pour occuper son autre main. Je m'attendais à ça. C'est une des raisons pour laquelle je ne voulais pas venir, d'ailleurs. Parce que oui: j'ai pensé ne pas venir. Après tout, ce genre de soirée, c'est tout à fait en dehors de notre formation générale. On est dans l'ultra-parascolaire! J'ai surtout pensé ne pas venir par protestation. Mon absence aurait été un geste concret pour montrer mon désaccord avec ce genre de concours stupide. Mais Marie-Jeanne m'a tordu un bras pour que je sois là, avec elle. Patricia, ce n'était pas suffisant. C'est donc pour mon amie que je suis ici,.

Plus tôt, j'ai présenté Patricia à ma mère. Il y a eu un malaise. Je ne crois pas que la mère de Marie-Jeanne soit le genre d'amie que pourrait se faire Jolène. Pas assez raffinée pour elle, peut-être ? Parce que même si ma mère consacre ses jours fériés à dévaliser l'Aubainerie et d'autres Zellers, elle se voit comme une femme sophistiquée. Il me semble que c'est ça qu'on appelle un paradoxe ambulant. En même temps, je dois préciser que ma mère a peu d'amies, voire aucune. Pas étonnant que je n'aie jamais été douée en amitié. Avec une mère peu sociable comme modèle, je n'ai pas réussi à développer un talent dans le domaine des relations humaines. Je me rattrape aujourd'hui avec Marie-Jeanne, que ma mère aime Patricia ou non.

D'ailleurs, je n'ai jamais vu Patricia aussi radieuse. Elle est ultra-maquillée et elle rit, peu importe ce qu'on dit. Elle porte une robe très colorée avec beaucoup de frou-frou. Ça me fait penser à une tenue de flamenco. Je sais que ma mère trouve ça de mauvais goût, qu'elle pense que la mère de mon amie en fait trop, mais moi, ça me fait sourire. L'extravagance de Patricia explique bien celle de sa fille. En arrivant, tout à l'heure, Marie-Jeanne m'a expliqué la raison de cet entrain et de ce frou-frou espagnol : la *date* de Patricia de samedi soir aurait été concluante. Richard aurait été aussi charmant qu'elle l'espérait. Je suis tellement heureuse pour elle. Je lui souhaite que ça dure entre eux et qu'elle ait du sirop pour la toux gratuit pour le reste de sa vie !

Marie-Jeanne n'arrête pas de me répéter combien elle est heureuse que je sois là, avec elle. Qu'on vive ça ensemble. Elle est tellement contente qu'elle réussit à me contaminer. Mon cœur se débat un peu, lui aussi. Comme les autres, je suis excitée d'être ici ! Pas excitée à l'idée que mon école gagne. Excitée à l'idée de voir la déconfiture sur le beau visage basané de Magali si elle ne gagne pas (ce qui risque d'arriver, avec un peu de chance). Tout ce qui manque à mon bonheur immédiat, c'est la présence de Maxime Daneau. Mais pour Maxime, venir ici, c'était au-delà de ses forces et de ses convictions. Et de toute façon, il devait garder Antonin. L'important, c'est qu'il ne me juge pas d'être venue, pour la grande finale en direct du concours *M'as-tu vu ?*.

C'est l'heure. Jingle insignifiant et compagnie. L'émission commence. « *Live*, en direct ! », comme n'arrête pas de me répéter ma mère. D'ailleurs, elle en profite pour me broyer une fois de plus ce qui me reste d'os dans les doigts de ma main droite.

Tous les yeux sont rivés sur l'écran fait maison. Il s'agit d'un drap épinglé au mur parmi deux ou trois décorations de Noël (ha ha ha ! non, mais quel budget de marde, quand même !). On se voit tous regroupés. Comme un troupeau. En écran divisé (*split screen*, qu'on dit autour de moi), on peut aussi voir le troupeau de l'Académie de la Sainte-Connaissance. *M'as-tu vu ?* a fait les choses en grand. Ils ont dépêché huit caméramans dans les deux écoles. Quatre ici en Montérégie, quatre là-bas dans les Laurentides, pour ne rien manquer de nos réactions. Élèves et parents, nous sommes tous agglutinés comme des brebis stupides derrière nos petites vedettes locales. Les secondaires 1 derrière Julien Claveau (et ses mamans lesbiennes), les 2 derrière Aïcha Baraka (j'ai finalement appris son nom de famille), les 4 derrière les gros bras du *lifeguard* de week-end Steven Tremblay-Buisson (et sa minuscule mère aux énormes seins) et les 5 derrière la relativement héroïque Héloïse Nadeau (et ses parents que je connais bien). Nous, les 3ᵉ secondaire, sommes rangés derrière la flamboyante et plus bronzée que jamais Magali-pas-de-E, au bras de son père imposant et de sa mère calcinée par les séances de bronzage. À l'écran, dans notre école rivale, c'est le même manège : la parfaite Julie-Anne Guillemet-André est entourée de ses parfaits parents et des quatre autres élus, devant leurs disciples laurentiens et leurs parents euphoriques. Nous sommes beaux à voir (*not*).

Ici, à Pierre-Jean-Jacques, la plus fébrile n'est pas Magali, mais madame Provencher, notre directrice qui se tient devant nous, droite comme un petit i en caractère gras (je rappelle ici qu'elle est plus large que haute). Elle est entourée des profs de l'école qui la dépassent tous d'une bonne tête. J'en reconnais surtout deux parmi le lot : monsieur Robillard (très grand et très maigre) et le théâtral Charles. J'ignore comment il fait, mais la posture de notre prof d'art dramatique, pourtant plutôt petit, réussit à le faire sortir du lot. Tout son corps exprime l'exubérance (c'est comme s'il portait lui aussi une robe de flamenco!). Il se sent filmé. Je le lui souhaite sincèrement. Si c'est ce qu'il faut pour lancer sa carrière, il le mérite certainement plus que Julie-Anne Guillemet-André, ou pire, Magali-pas-de-E.

Soudain, l'image à l'écran se transforme. Place à l'animateur-humoriste de *M'as-tu vu?*. Il est là pour nous annoncer qui, des deux écoles finalistes, sera sacrée la grande gagnante. Mais avant de nous révéler la nouvelle, on nous présente un interminable montage des meilleurs moments de cet automne. Ça se veut drôle et larmoyant. Je ris un peu, mais je ne suis aucunement émue. La musique plaquée sur les images est là pour nous soutirer les larmes. Je trouve ça forcé. Mais je suis un ovni. Marie-Jeanne, Patricia et ma mère passent leur temps à alterner entre la cascade de rires et le torrent de larmes. À côté d'elles, je suis froide comme le palais des glaces en entier! Je suis venue par amitié pour Marie-Jeanne, OK, mais aussi pour rire de Magali. Pas pour être éblouie par ses exploits. Je ne vois aucun intérêt à regarder ce montage. J'en ai déjà vu plusieurs extraits, et les autres, Marie-Jeanne me les a résumés à maintes reprises. Tout y passe: les chorés de Magali, les *lip dub* de Marie-Julie Guillemet-André, des *bloopers* d'élèves parlant tout croche ou s'enfargeant dans leurs pieds… Même un passage avec Charles jouant sa longue réplique de Racine, trou de mémoire inclus. Ça rit plus que nécessaire. C'est le stress, peut-être? Les yeux de tous les spectateurs passent du Charles filmé au Charles en chair et en os. En chair rougie par la honte, en fait. Il est écarlate d'humiliation. Pauvre lui.

Mon regard, à moi, se promène entre Magali-pas-de-E (ce que je peux capter de son profil, car elle est dos à moi) et la directrice. Elles rivalisent de nervosité. Les voir aussi anxieuses est pour moi une véritable jouissance. Elles doutent clairement de leur victoire. Comme je les comprends. Allez-y, doutez. Vous allez regretter amèrement de m'avoir placée dans le fond de la classe. Hors champ. À l'autre bout du monde des caméras. Le peuple québécois aura compris votre mascarade, et aura voté pour l'Académie de la Sainte-Connaissance, moins cruelle avec les physiques peu avantageux.

Je reçois un coup dans les côtes. C'est Marie-Jeanne. Elle veut attirer mon regard vers l'écran. Je lève la tête et me vois, en train de répliquer à mon prof de français : « Parce que ça me tente pas. On m'a reléguée au fond de la classe. Je ne me sens plus concernée par le cours. Désolée. Demandez à quelqu'un d'autre devant vous. (…) Mais je suis hyper polie, monsieur Robillard. Je viens à tous mes cours. J'en ai pas raté un depuis la rentrée. Je suis toujours à l'heure et mes devoirs sont toujours impeccables. Mieux : même si vous rendez pas le cours passionnant avec votre petit problème de langage, je vous écoute avec la plus grande attention. OK, je réponds plus à vos questions comme je le faisais en septembre, avant que *M'as-tu vu ?* débarque dans l'école, mais il faut pas m'en vouloir pour ça. Ça s'explique bien. Vous avez pas bronché une miette à l'idée de me mettre dans le fond de la classe, comme une figurante moche à l'émission *La Fureur*! Je vois pas pourquoi je vous ferais une fleur en répondant à vos questions restées sans réponse.» Ça se termine sur mon arrogante sortie. Ça ricane autour de nous. Ma mère pleure. Elle n'arrête pas de me chuchoter trop fort que je suis donc belle, que je parle donc bien… Tous les regards se tournent vers monsieur Robillard. C'est à son tour de rougir. Finalement, cette téléréalité s'avère également humiliante pour les profs.

Légère accalmie autour de moi. Ma mère est comme sonnée à retardement. Elle parlait pendant l'extrait; elle n'est pas certaine des mots que j'ai employés. Elle s'informe, subitement inquiète: «Mais… as-tu dit "reléguée au fond de la classe"? Comment ça, reléguée au fond de la classe? Je comprends pas…»

Je lui dis que je lui expliquerai en revenant ce soir, qu'on dérange les gens autour de nous. Ma mère se tait quand elle voit l'extrait suivant. C'est encore moi. Cette fois, je suis coiffée de mon chapeau de *cowgirl*, en feu et en verve, en plein exposé oral sur *Sainte Carmen de la Main*. Décidément, on a droit à un montage de ma participation complète à *M'as-tu vu?*! Je sens que toute l'école me regarde. À présent, c'est moi qui deviens rouge.

Ma mère retombe en pâmoison devant ma prestation. Elle en oublie mon transfert au fin fond de la classe.

Fiou. Je n'ai pas envie d'avoir cette explication-là devant tant de spectateurs.

Magali me regarde, comme les autres. Elle s'est retournée vers moi. Elle aussi est rouge. Mais elle, c'est de rage. Elle ne semble pas supporter que le montage des meilleurs moments se termine sur moi, plutôt que sur elle. Désolée, fille, mais parfois, une prise de parole flamboyante vaut mieux qu'une chorégraphie prévisible et racoleuse…

Fin de l'interminable montage des meilleurs moments. La musique se transforme. Roulement de tambour. L'animateur va ouvrir l'enveloppe contenant les résultats. Tout le monde retient son souffle. Ma mère ne contrôle plus sa nervosité et me fracture les doigts avec sa bague de mariage qu'elle ne s'est jamais résolue à enlever.

Tout déboule. L'animateur nomme Pierre-Jean-Jacques. Magali éclate en sanglots. La directrice aussi. Elles se serrent dans leurs bras en hurlant leur joie, comme le feraient les gagnantes du gros lot du 6-49.

Pendant que ma mère, mon amie et le reste de mes collègues d'école pleurent de bonheur, je me mets à imaginer ce à quoi ressemblera notre retour à l'école après les fêtes, en janvier. Une biblio revampée. Garnie de livres neufs sur de nouveaux rayons. Avec, à l'entrée, bien en vue, une affiche permanente, comme la marquise d'un théâtre.

LA BIBLIOTHÈQUE
MAGALI-PAS-DE-E LOISELLE-BIENVENUE

C'est une aberration. Mais ce n'est pas la première. Si Coca-Cola fait des pubs pour combattre l'obésité, Magali-pas-de-E peut bien avoir sa bibliothèque, après tout!

Les effusions de joie n'arrêtent pas. Marie-Jeanne et sa mère sautillent comme des gamines. Ma mère caresse ma main pour se faire pardonner. Magali est soulevée de terre par des admirateurs exaltés. Mon ennemie est célébrée comme une récipiendaire de prix Nobel. Elle n'a pas découvert le radium ni trouvé le vaccin contre le cancer. Elle a seulement inscrit son école superficielle à un concours cave.

Je me dissocie de toute cette joie débile. Je souris à ma mère, à Patricia, à mon amie… Je souris à tout le monde. Mais au fond de moi, je suis triste à en pleurer. Au fond de moi, ça tremble comme quand on sait que l'injustice a triomphé.

Ce qui m'apaise un peu, c'est que je sais que Maxime me comprend. Et ce qui m'apaise beaucoup, c'est la certitude que je trouverai bien, un jour ou l'autre, le moyen de rétablir cette justice. Alors, selon le Québec, Pierre-Jean-Jacques serait l'école la plus *cool*? OK, pas de trouble. On verra ce qu'on verra.

VENDREDI (BONUS FINAL)

Une bombe a explosé cette semaine. Une toute petite bombe, mais qui fera beaucoup de ravage dans ma vie. Mes parents ont su pourquoi j'avais été exilée au fond de la classe. Mardi matin, ma mère est revenue à la charge avec ses questions. «Mais ma chérie, ça voulait dire quoi, être reléguée au fond de la classe? Pourquoi t'as parlé de l'émission *La Fureur*?» J'ai prétexté que je devais partir rapidement pour l'école, que je lui donnerais des explications le soir même. Finalement, c'est une collègue de la Caisse Desjardins qui a révélé la vérité à ma mère. Pendant la pause du dîner, elle lui aurait dit un truc comme: «Comment tu as pris ça, Jolène, que ta fille soit cachée au fin fond de la classe pour une question d'apparence physique? Moi, si on avait fait ça à ma fille, j'aurais pété les plombs!»

Eh bien, ma mère les a pétés.

Elle a tout raconté à papa. Il est en beau fusil depuis. Ils ont pris rendez-vous mercredi dernier pour rencontrer ma directrice. Pauvre madame Provencher. Mes parents lui en ont fait baver. Le goût de la victoire aura été bref dans sa bouche pincée.

Mon père me retire de l'école Pierre-Jean-Jacques. Ma mère est du même avis. Ils sont blessés. Ils songent à poursuivre l'école pour discrimination. Eh, *boboy*!

Je vais terminer mes cours et mes examens avant Noël. Mais après les vacances des fêtes, je ne reviendrai pas à Pierre-Jean-Jacques. Je vais devoir poursuivre mon 3e secondaire au collège Marie-de-la-plus-Haute-Espérance (quel nom pas possible!), l'école privée de notre petite ville. Loin de Magali-pas-de-E, OK. Mais surtout loin de Marie-Jeanne et de Maxime. Inutile de dire que ça me met dans tous mes états. Si on m'avait dit ça il y a quatre semaines, ça aurait été différent. Mais en un mois, les choses ont tellement changé pour moi. En un mois, je me suis liée à des gens que je ne veux pas quitter.

Mes parents ne me laissent pas le choix. Mes impressionnants résultats scolaires ont charmé la direction du collège privé. Ils m'accueillent les bras ouverts dès janvier prochain. Le premier roman de mon père s'est bien vendu; il prétend avoir les moyens de régler les factures salées de cette école hautement réputée. Ma mère ne pouvant pas en assumer les frais, il s'en chargera seul. Marie-Annick est entièrement d'accord. Elle aussi a été bouleversée quand elle a su la vérité. En fait, ils sont tous les trois beaucoup plus bouleversés que je ne le suis. Moi, ça me va, avoir un physique *peu avantageux*. Je me suis faite à l'idée.

Par contre, abandonner Marie-Jeanne et Maxime à Pierre-Jean-Jacques, ça, je m'y suis pas encore faite. Même que j'ignore si je réussirai. Les deux sont catastrophés par la nouvelle, tout comme moi. Marie-Jeanne, surtout, m'a fait savoir que mon départ l'anéantirait.

J'ai trouvé le mot pas mal fort, mais ça m'a touchée. Maxime, fidèle à lui-même, a réagi plus sobrement. Il m'a dit qu'il comprenait très bien la décision de mes parents, même qu'il l'appuyait. Et que si son père avait les moyens, il aurait lui aussi opté pour une école avec de plus belles valeurs.

Les deux m'ont assuré que mon départ ne changerait rien à notre amitié. Après tout, le collège privé n'est pas loin de Pierre-Jean-Jacques, que nous nous sommes tous dit, pour nous remonter le moral.

Aujourd'hui, sur l'heure du dîner, je reçois une lettre d'excuse rédigée à la main par madame Jugement Provencher en personne. Elle choisit de me la lire avant de me la remettre. En gros, elle dit qu'elle est sincèrement désolée. Tout ça est une terrible méprise d'intention. Elle voulait me protéger. Elle prétend que le monde de la télé est cruel. Moi, je crois que le monde scolaire l'est tout autant.

En me tendant la lettre, la directrice me fait une proposition. Jusqu'à mon départ, à Noël, j'ai le droit de m'asseoir à l'endroit que je désire. À l'avant comme à l'arrière. Elle me jure solennellement que j'ai l'embarras du choix. Alors je lui dis : « Peu importe, du moment que je suis entre Marie-Jeanne et Maxime. »

Elle va obéir à mon petit caprice. Oui, Cybèle Campeau-Grégoire aussi a de l'emprise sur son monde. Dès cet après-midi, à cause de moi, nous aurons droit à une nouvelle configuration spatiale de classe dans chacun de mes cours. Et partout, je serai bien au chaud, protégée, entre mes deux meilleurs amis me trouvant belle, me rendant belle.

Dans tes dents, Magali-pas-de-E.

Dans tes dents, madame Jugement Provencher.

Dans tes dents, Pierre-Jean-Jacques.

Cybèle-pas-si-belle-que-ça en a fini avec vous !

C'est un chapitre qui se clôt pour moi. À compter de janvier prochain, je tenterai de me refaire une beauté et une réputation dans une autre école.

Marie-de-la-plus-Haute-Espérance, me voici, plus forte et plus belle que jamais !

À SUIVRE...